W9-DIG-063

Antología poética

Sección: Literatura

Luis Cernuda: Antología poética

Introducción
y selección de Philip Silver

El Libro de Bolsillo
Alianza Editorial
Madrid

®

Primera edición en «El libro de Bolsillo»: 1975
Novena reimpresión en «El libro de Bolsillo»: 1993

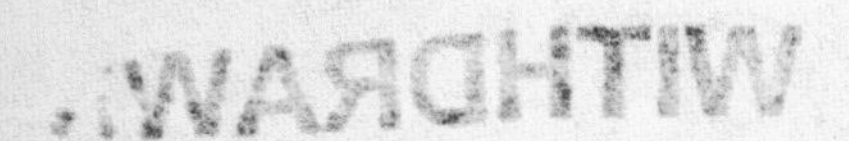

Calle Juan Ignacio Luca de Tena, 15; 28027 Madrid; teléf. 741 66 00
I.S.B.N.: 84-206-1583-8
Depósito legal: M. 15.807/1993
Impreso en Fernández Ciudad, S. L.
Catalina Suárez, 19. 28007 Madrid
Printed in Spain

Cernuda, poeta ontológico

Venimos aquí a rendir homenaje al poeta y al hombre, Luis Cernuda. Y digo al hombre porque cuando su poesía empezó a circular clandestinamente en España —creo que con la tercera edición de La Realidad y el Deseo, *de 1958— el éxito obtenido fue tanto moral como poético. E incluso me atrevería a decir más moral que poético. Así, según creo, resultó nuestro poeta para los poetas españoles que eran y son López Pacheco, Jaime Gil de Biedma y Concha Lagos, entre otros. Si estaban hartos, en la postguerra, de la poesía «oficial» y de la poesía de la generación del 27 —tal como se conocía entonces dentro de España—, no lo estaban menos de la situación moral de los «que se habían quedado». Estaban hartos de la inautenticidad, de la evasión paradisíaca, y de la autocensura de sus mayores. En esta situación, Luis Cernuda vino a ser como una revelación de autenticidad. Porque siempre como hombre y como poeta había sabido dar la cara, había sabido exponer y mucho.*

He empezado de esta manera porque no quisiera que esto fuese un acto de homenaje enteramente académico como no lo querrán seguramente los demás ponentes. No sé. Pero me consta que el ejemplo moral de Cernuda como hombre y poeta no se agotaba con el aliento que dio a los poetas no convencidos o sólo convencidos a medias —por el movimiento de la poesía social. Creo que además dio aliento a nuevos brotes de poesía anti- o a-social como la de Gimferrer, Francisco Brines y otros.

Pero, aparte las influencias, lo que nos importa aquí y lo que interesa aquí, a fin de cuentas, es el hecho archievidente de que por una combinación poco frecuente de cualidades y circunstancias, Cernuda no es sólo el poeta de ayer, sino poeta de hoy, de mañana, y de siempre. Por eso nos incumbe menos explicar su importancia en las letras de la postguerra, es decir, hacer la sociología de la recepción de su obra en España, que tratar de deslindar el quid de su poesía, ese centro radiante que es y será imán de todas las interpretaciones. Y la mejor manera de hacer dicho deslinde es hacer constar la radical escisión entre el hombre y el poeta. He aquí por qué quise al principio rendir homenaje al hombre para luego no volver a referirme a él, porque la confusión de hombre y poeta en nuestra crítica de Cernuda sólo nos ha llevado a malentendidos. Hoy pretendo hablaros de Luis Cernuda, poeta ontológico.

Cuando iba ultimando mi tesis sobre Cernuda, en el año 60, hice un viaje a Nueva York para consultar la biblioteca de la Hispanic Society y allí di con la revista Caracola, de Málaga, que no conocía y donde había publicado Cernuda poemas y poemas en prosa, no sé si por antigua amistad con Bernabé Fernández-Canivell. Allí, en un número de Caracola, encontré el poema «Luna llena en Semana Santa». Hasta entonces había pensado en un título para la tesis que tuviese que ver unamunianamente con «la eternidad», algo así como «la sed de eternidad». Pero al leer ese poema cuyo último verso es: «Et in Arcadia Ego», y que hoy forma parte de la última sección de La Realidad y el Deseo, tuve una experiencia única, estremecedora. Como decía, la tesis estaba escrita y yo estaba viendo por primera vez un poema, *el poema, que era como piedra-clave de la tesis de mi tesis —poema que ahora leía por primera vez, pero que en cierta manera había previsto. Ya sabía yo que Cernuda tenía que abordar ese tema —era inevitable, tratándose de un tema generacional—; y lo sabía, claro está, por la obra escrita que había leído. Por lo tanto, había hecho investigación acerca del tema pastoril. Claudio Guillén me dio a leer el artículo titulado «The Oaten Flute», de Renato Poggioli y yo por mi cuenta había tropezado con el ensayo sobre la iconografía del tema de Panofsky, en su libro* Meaning in the Visual Arts. *Claro, desde el momento en que por primera vez leí «Luna llena en Semana Santa», vi que el mismo Cernuda me había proporcionado un magnífico título para mi trabajo sobre su obra, y así tuve tesis. Pero el ensayo de Panofsky me dejaba entonces con una duda, para mi nunca resuelta. Porque lo que hace ver el crítico de arte es que en la transmisión del tema* Et in Arcadia Ego *se pierde o se soslaya uno de sus dos significados. En un principio el lema decía que un* yo *—la muerte— también vive en Arcadia, pero luego, andando el tiempo, los pintores y aficionados a la pintura, por una razón humanísima, natural, prefirieron ver en la frase o lema un como testamento tautológico de la joven cuyo sepulcro siempre figura en estos cuadros en primer término. Un testimonio innecesario para decir que antes de morirse del todo había vivido feliz en el regazo de la madre naturaleza y hasta había «muerto» varias veces en brazos de sendos pastores amantes. Significado, este último, que siempre ha sido el predilecto. Y, por su consonancia con el tema del paraíso de la generación del poeta, seguramente es éste el significado de Cernuda en el último verso de «Luna llena en Semana Santa».*

Este es, desde luego, el sentido del título de mi tesis que luego pasó al libro publicado por Támesis, el significado, además, que yo entonces estaba capacitado para ver y apreciar... Pero, ¿y el otro significado, el sombrío? ¿No se ve también en el fondo de toda la poesía de Cernuda, sobre todo en la poesía a partir del contacto con Hölderlin, a partir de la guerra civil, la pre-

sencia o copresencia de la muerte? En una palabra, ¿no eran Eros y Tanatos cara y cruz de la poesía de Cernuda desde el principio? Claro que sí. Mas, al escribir la tesis sólo veía —miento, sólo podía hablar de— el paraíso, el lado paradisíaco del tema pastoril en la poesía de Cernuda.

¿Pero hay otro lado? Es decir, fuera de la pintura, aparte de unos cuadros manieristas o neoclásicos, en el mismo campo de la literatura, ¿cabe hablar de Tanatos, de unas márgenes tenebrosas de ese caudal de literatura pastoril que arranca, digamos, de Teócrito, y llega hasta nuestros días? Es de sobra evidente que cabe relacionar, no sólo el de Tanatos, sino muchos otros temas, con lo pastoril. Además, deberíamos hacer hincapié en el hecho de que la dialéctica Eros-Tanatos que se encuentra en la poesía bucólica de Cernuda no es nada fortuita. Bien mirado, esta habilidad dialéctica es una característica esencial de lo pastoril. Es más, hasta cierto punto esta misma habilidad dialéctica explica la omnipresencia de lo pastoril; porque lo pastoril puede meterse en todas partes, así como cuando surge, para nuestra sorpresa, al comienzo de ese magnífico poema de «decreación» que es el poema «Cero», de Pedro Salinas. Y en el Renacimiento, aparte del tema erótico, lo pastoril acoge —¡asombro!— el raciocinio filosófico. Es allí en lo pastoril donde se debate la supremacía del arte y de la naturaleza. Podemos decir, pues, que lo pastoril vive y sobrevive gracias a su capacidad para dar cabida a una serie casi infinita de valores opuestos como son vida-muerte, amor-desamor, arte-naturaleza. Pero lo curioso de lo pastoril es que no sólo admite temas de contenido (como vida-muerte, amor-desamor), sino que también y sobre todo admite —y reclama— temas de forma (como el de arte-naturaleza), temas filosóficos. En otras palabras, lo pastoril es de una reflexividad sorprendente. Hasta tal punto es así, que Paul de Man, en una evaluación de Empson, llega a decir que es la misma voz de la poesía, hablando y diciendo lo que es la esencia de la literatura («Impasse de la Critique Formaliste», Critique, 109, junio 1956, 492-495). Para apoyar este aserto, *cita, siguiendo a Empson, los famosos versos del poema «El jardín», de Andrew Marvell, aquellos versos donde dice:*

The Mind, that Ocean where each kind
Does straight its own resemblance find;
Yet it creates, transcending these,
Far other worlds, and other Seas
Annihilating all that's made
To a green thought in a green shade.

(La mente, ese océano donde toda especie / Encuentra en el acto su propia semblanza, / Crea, sin embargo, trascendiendo éstas, / Muy otros mundos, y otras mares, / Y reduce toda cosa creada, / A un verde pensamiento en un boscaje verde.)

Y luego explica cómo estos versos de Marvell son un claro ejemplo de la poesía pastoril actuando como portavoz de la literatura misma; cómo, además, estos versos de Marvell tienen un doble valor para-digmático. En primer lugar dicen la esencia tanto de lo pastoril como de la poesía misma, y en segundo lugar explican cómo se sitúa la poesía dentro de una ontología general. Primero, lo pastoril. Como dice de Man: «¿Qué es, pues, la convención pastoril, sino la eterna separación entre el espíritu (o imaginación creadora) que distingue, niega, aligera, y la primitiva sencillez de todo lo natural?» Y concluye: «No hay duda de que el tema pastoril es en efecto el solo tema poético, que es la poesía misma.» En los versos de Marvell se expresa una tensión dialéctica entre el espíritu que contempla y el mundo natural contemplado. Tensión y dialéctica porque el verse reflejado en la naturaleza no satisface a la conciencia; al contrario la excita, la impulsa hacia una posesión total de lo otro. De ahí que Marvell considere la actividad mental, creadora, como acto de aniquilamiento. La imaginación al poseer destruye, tritura. Es más; reconoce sus creaciones como falsas, como pálidos reflejos del mundo natural. Porque la imaginación poética, que es la negación, no puede encarnarse si no es pidiendo prestado un cuerpo a la naturaleza. Y esta separación, esta añoranza, es el tema único de toda poesía. De manera que es la poesía misma reflejo fiel de una separación radical en el mismo Ser. Como dice de Man en su comentario a Empson: «La verdadera ambigüedad poética viene de una división en el Ser mismo, y la poesía no hace más que decir y repetir esta división.» La poesía y el arte todo. Porque de existir una relación fácil y no *ambigüa entre la conciencia o imaginación creadora, y la sustancia o realidad, no habría arte. O sea, el precio del arte es nuestra separación, nuestra alienación radical. ¿Verdad que es mucho más rico el tema pastoral de lo que pensáramos?*

Ahora tratemos de deslindar, de caracterizar, el tono o la voz cernudianos a fin de ver de dónde procede y cuáles son sus raíces más hondas. Decía antes de hablar de la riqueza filosófica del tema pastoril, que en la poesía de Cernuda había junto al Eros también una parte de Tanatos. Quise explicar así esa honda tristeza tan característica de nuestro poeta, y al decir Tanatos pensaba en una serie de tópicos poéticos que conjugan belleza y muerte. Pensaba hasta hace poco que la tristeza de Cernuda tenía sus raíces en el sentimiento fácil de que todo lo bello estaba cercado de muerte. Pero no puede ser éste el motivo. El dolorido sentir de Cernuda tiene resonancias más hondas que cualquier tópico literario. En su voz sentimos una soledad y una añoranza cósmica, mas al mismo tiempo nos da la sensación de que no le puede ya interesar nada, como si escuchásemos a un pobre muerto. Y esto hace que la añoranza, el deseo, resulte algo paradójico. Si no le importa ya nada, ¿cómo puede sentir la pérdida de algo? Por una parte desprecia el mundo y dice que sólo vale el mundo de la poesía, para luego decir que tampoco vale el mundo de sus poemas. Parece que escuchamos a Cernuda cuando leemos en una de las cartas de Rousseau a Malesherbes: «Si todos mis sueños se hiciesen realidad, aún seguiría sin estar satisfecho: tendría que seguir soñando, imaginando, deseando. He encontrado dentro de mí un vacío inexplicable que nada ha podido ocupar: un movimiento del corazón hacia otra clase de satisfacción que no concibo para nada, pero de la cual he sentido la atracción.» Es esta conciencia dolorosa que comparten Rousseau y Cernuda tan peculiar que difícilmente puede considerarse como mera nostalgia o deseo. Porque no es el resultado de la ausencia de nada o de nadie; es más bien resultado de una presencia, la de un vacío. Una comprensión de que nada se pierde porque no tenemos nada que perder. Sentimiento ab initio *de separación y alienación. Sentimiento* ab initio *de añoranza y nostalgia. He aquí la voz característica de Cernuda cuando logra mantenerse a nivel de poeta ontológico. Más que la voz de un poeta en desamor, es la de un poeta que* vive *y por lo tanto* dice *la división existente en el fondo del Ser mismo. Creo que con esto damos nuevo sentido al título que el mismo Cernuda puso a sus poesías:* La Realidad y el Deseo.

Si antes no habíamos entendido así el título de las poesías de Cernuda en parte la culpa es nuestra; pero también, en cierta medida, es de Cernuda. Siempre habíamos pensado en la realidad y el deseo como dos antagonistas absolutos e irreconciliables, porque así hablaba de ellos el mismo poeta, que casi siempre se disfrazaba de romántico español o discípulo de Fichte. Decía siempre «deseo imposible», o «realidad implacable» que no se deja vencer. Pero en realidad el juego entre realidad y deseo en Cernuda es mucho más sutil. Hay un movimiento de vaivén, hay una dialéctica y una riquísima ambigüedad. Como en los buenos tiempos del mejor romanticismo europeo, por fin con Cernuda llega a España un romanticismo digno de ese nombre. Y con esto abordamos una cuestión de historia literaria. Porque si es esencial ingrediente de la poesía romántica europea una teoría de la imaginación poética que se da junto con una visión panteísta de la naturaleza, puede decirse que no había romanticismo en España porque no se habían dado las dos cosas a la vez hasta la Generación del 27. Algo había, es cierto, de panteísmo entre los de la Generación del 98, pero en toda España no había una teoría de la imaginación poética hasta la Generación de Ortega. Quiero decir que antes no se había dado en

España lo que podríamos llamar una epistemología para poetas, el *sine qua non* de todo movimiento romántico. Pero entonces, por una serie de circunstancias que llevaría tiempo explicar, Ortega publica un libro que hace época —*Meditaciones del Quijote*—, y que contiene entre muchas otras cosas una teoría de la imaginación poética o, como prefiero llamarla, una epistemología, que poetas como Salinas supieron apreciar y aprovechar. Quizá pueda parecer esta idea algo extravagante, pero no lo es en absoluto. Porque, bien mirado, ¿no es el denominador común entre Ortega y Salinas el deseo de «salvar las apariencias» como decía platónicamente el mismo Ortega? Yo, por lo menos, veo en *Meditaciones del Quijote*, en el programa nacional de Ortega de superar el impresionismo español mediante el concepto, expuesto en todas partes del libro y dramatizado en la sección que habla de Don Quijote y Sancho en los campos de Montiel, una correspondencia exacta con la poética de Salinas implícita ya en *Presagios* y explícita en el poema «Todo más claro». He aquí, pues, la genealogía de Cernuda: en Ortega, relación dialéctica entre concepto y carne (Ser); en Salinas, ese juego tan característico entre fantasía y realidad, ficción e historia; en Cernuda, deseo y realidad. Pero lo que es juego en Salinas, en Cernuda se hace crisis.

Ahora creo que hemos reunido datos suficientes como para poder explicarnos con más precisión la unicidad de la poesía cernudiana. Esta poesía abre un surco profundo en nuestra alma, nos amenaza con tan honda melancolía, porque nos dice dos cosas contradictorias a la vez. Con el tono de voz nos habla de la división radical del Ser, pero con parte de su temática trata constantemente de salvar esta división. Es una poesía que quiere prometernos la redención pero que sabe que es imposible. He aquí el motivo del parentesco entre Cernuda y T. S. Eliot. Y ahora podemos explicar la importancia de la temática de los dioses en Cernuda. En Cernuda lo mismo puede ser un dios griego, el dios cristiano, o un dios-amante. No tiene nada que ver con la religión, *aunque sí, quizá, con las fuentes de la religión. Lo que le interesa a Cernuda es el deseo de unir cielo y tierra, de confundirlos; pero sabe que esto es imposible, que no puede haber encarnación feliz. Recordemos que la imaginación no puede fundarse si no es uniéndose a la materia, pero que entonces pierde divinidad. Cuando los dioses bajan a la tierra es para quedarse en ella. O como dice Cernuda en «A las estatuas de los dioses.»: «Hoy yaceís, mutiladas y oscuras, / Entre los grises jardines de las ciudades. / Piedra inútil que el soplo celeste no anima, / Abandonadas de la súplica y la humana esperanza.» Como todo lo que está aquí en la tierra, les falta sentido —«Piedra inútil que el soplo celeste no anima»—. Podría decirse que aquí Cernuda se acerca al tópico romántico del «alma hermosa» que simbolizaba la unión de las apariencias con las ideas, sólo que Cernuda nos ofrece una versión negativa del tópico. Es decir, ninguno de los dioses de Cernuda encarna o representa este ideal positivo como hace la figura de Julia de Rousseau o la de Diotima de Hölderlin. En Cernuda la única figura que puede encarnar —o, mejor dicho. vivir— una posible unión de los contrarios es la figura del poeta.*

En la poesía de Cernuda sólo el poeta puede intuir en una especie de rapto poético-erótico lo que él llama a veces «el acorde», y que es como una visión del Ser no disperso. En «Río vespertino» Cernuda describe la tarea del poeta como la «De ver en unidad el ser disperso, / El mundo fragmentario donde viven.» Pero para Cernuda incluso esta tarea es menos pura que la de un mirlo (mencionado en el mismo poema), puesto que el poeta canta para el hombre; es decir, la misma necesidad de que el poeta sirva de vate es señal de la decadencia ontológica de nuestro mundo humano. En contraste, el mirlo, cuyo canto estremece la tarde, pertenece a un mundo edénico, material, perfecto, que coincide exactamente con sí mismo. Aunque es cierto que a veces el poeta tenga una experiencia de perfecta com-

penetración con algo, como cuando contempla, extático, la naturaleza, y ve que «se unifican, / Tal uno son amante, amor y amado, / Los tres complementarios luego y antes dispersos: / El deseo, la rosa y la mirada», las más de las veces la experiencia del poeta es la de un mundo ontológicamente decaído, experiencia que suele describir Cernuda con una misma palabra, ajar. *En «Hacia la tierra» dice: «Es acaso un espacio / vacío, una luz ida, / Ajada en toda cosa / Ya la hermosura viva.» Y en «Río vespertino»: «Ajado en toda cosa está el encanto, / El fruto deseado amarga ahora / Y un círculo de sombra encierra al día.»*

He aquí por qué el poeta es el único héroe en la poesía de Cernuda. Los demás seres humanos, inconscientes, no sienten la división del Ser, simbolizado en la poesía por el distanciamiento de los dioses, la ausencia del «fuego celeste», del «fuego originario» o del «soplo celeste».

Creo que este breve comentario acerca del credo poético de Cernuda basta para situar dentro de nuestro tema la importancia para Cernuda de la poesía y el poeta como temas poéticos. Ahora debemos mirar los otros temas fundamentales de su poesía —la naturaleza y el amor— para ver cómo reflejan la misma división del Ser. O mejor dicho, cómo los temas del amor y la naturaleza también se prestan a la expresión de aquella añoranza sin objeto, aquella tristeza profunda, que hemos querido explicar como reflejo, dentro de la poesía, de una imperfección en el mismo Ser.

En el tratamiento de los dos temas hay un paralelismo notable. En cuanto a los poemas dedicados a la naturaleza puede aparecer a primera vista que el poeta sólo quiera hacer resaltar la eternidad de la naturaleza para poder lamentar la brevedad de la vida. O que el poeta se siente uno con la naturaleza. Pero no es así. Hay más bien una atracción que siente el poeta hacia *la naturaleza que yo llamaría envidia ontológica. El poeta reconoce que la naturaleza es auto-suficiente, que no le necesita, que es la perfección misma, y por lo tanto siente nostalgia de ella. Pero al mismo tiempo advierte que la única manera de poseer esa naturaleza es mediante la separación. Pensamos en la importancia del recuerdo de un aroma —lo más parecido a una idea, según Ortega— en «Lo más frágil es lo que dura».*

Y no es otro el caso del amor. En el amor se da la misma tristeza, porque el poeta al querer poseer al amado tiene que fracasar en el intento. Todo amado muere y desaparece. Por lo tanto como en el caso de la naturaleza, la única manera de poseer es perder. Sólo el amor reducido a memoria queda con nosotros. Por eso Cernuda dice al final de «Cuatro poemas a una sombra»: «Junto al agua, en la hierba, ya no busques, / Que no hallarás figura, sino allá en la mente / Continuarse el mito de tu existir incompleto.» ¿Cuál es la fórmula que mejor expresa en el nivel óntico o existencial esta imperfección ontológica? Quizá ésta: Existe una separación radical, trágica, entre la experiencia de un objeto y la experiencia de la conciencia *del mismo. Separación y dialéctica que se ve claramente en las últimas estrofas de «Poemas para un cuerpo»: «Tú y mi amor, mientras miro / Dormir tu cuerpo cuando / Amanece. Así mira / Un dios lo que ha creado.» He aquí la estrofa* marvelliana *de Cernuda, y, acto seguido, esta otra, más cerca de Keats, más humilde: «Mas mi amor nada puede / Sin que tu cuerpo acceda: / El Sólo informa un mito / En tu hermosa materia.»*

Para concluir. Creo que ha sido útil el intento de situar la poesía cernudiana dentro del marco de la convención o tema pastoril. Porque el tema pastoril, lejos de ser mera convención literaria, nos ha permitido decir algo de lo que es la poesía en su esencia. A saber, expresión de la relación ambigua entre la imaginación humana y el mundo de la sustancia. Con todo creo que hemos ganado también en conocimiento de la poesía de Cernuda, al ver que la voz profundamente triste de su poesía es resultado del haber vivido *esa misma ambigüedad como poeta de la naturaleza y del amor.*

PHILIP SILVER

La primera versión de este ensayo fue leída por el autor en el Homenaje a Luis Cernuda, organizada por el Departamento de Español de Mount Holyoke College, el 4 de mayo de 1974.

Nota de los editores

Los once libros que han servido de fuente para esta selección pertenecen al poemario de Luis Cernuda titulado *La Realidad y el Deseo,* que figura en la edición de *Poesía completa* realizada por Barral Editores, en 1974.

La antología presente se basa en esa edición.

De *Primeras poesías*
(1924-1927)

[*Va la brisa reciente*]

Va la brisa reciente
por el espacio esbelta,
y en las hojas cantando
abre una primavera.

Sobre el límpido abismo
del cielo se divisan,
como dichas primeras,
primeras golondrinas.

Tan sólo un árbol turba
la distancia que duerme,
así el fervor alerta
la indolencia presente.

Verdes están las hojas,
el crepúsculo huye,
anegándose en sombra
las fugitivas luces.

En su paz la ventana
restituye a diario
las estrellas, el aire
y el que estaba soñando.

[*Urbano y dulce revuelo*]

Urbano y dulce revuelo
suscitando fresca brisa
para sazón de sonrisa
que agosta el ardor del suelo;
pues si aquel mudo señuelo
es caña y papel, pasivo
al curvo desmayo estivo,
aún queda, brusca delicia,
la que abre tu caricia,
oh ventilador cautivo.

[*Desengaño indolente*]

Desengaño indolente
y una calma vacía,
como flor en la sombra,
el sueño fiel nos brinda.

Los sentidos tan jóvenes
frente a un mundo se abren
sin goces ni sonrisas,
que no amanece nadie.

El afán, entre muros
debatiéndose aislado,
sin ayer ni mañana
yace en un limbo extático.

La almohada no abre
los espacios ruiseños;
dice sólo, voz triste,
que alientan allá lejos.

El tiempo en las estrellas.
Desterrada la historia.
El cuerpo se adormece
aguardando su aurora.

[*Ninguna nube inútil*]

Ninguna nube inútil,
ni la fuga de un pájaro,
estremece su ardiente
resplandor azulado.

Así sobre la tierra
cantas y ríes, cielo,
como un impetuoso
y sagrado aleteo.

Desbordando en el aire
tantas luces altivas,
aclaras felizmente
nuestra nada divina.

Y el acorde total
da al universo calma:
árboles a la orilla
soñolienta del agua

Sobre la tierra estoy;
déjame estar. Sonrío
a todo el orbe; extraño
no le soy porque vivo.

[*Existo, bien lo sé*]

Existo, bien lo sé,
porque le transparenta
el mundo a mis sentidos
su amorosa presencia.

Mas no quiero estos muros,
aire infiel a sí mismo,
ni esas ramas que cantan
en el aire dormido.

Quiero como horizonte
para mi muda gloria
tus brazos, que ciñendo
mi vida la deshojan.

Vivo un solo deseo,
un afán claro, unánime;
afán de amor y olvido.
yo no sé si alguien cae.

Soy memoria de hombre;
luego, nada. Divina,
la sombra y la luz siguen
con la tierra que gira.

[*Eras, instante, tan claro*]

Eras, instante, tan claro.
Perdidamente te alejas,
dejando erguido al deseo
con sus vagas ansias tercas.

Siento huir bajo el otoño
pálidas aguas sin fuerza,
mientras se olvidan los árboles
de las hojas que desertan.

La llama tuerce su hastío,
sola su viva presencia,
y la lámpara ya duerme
sobre mis ojos en vela.

Cuán lejano todo. Muertas
las rosas que ayer abrieran,
aunque aliente su secreto
por las verdes alamedas.

Bajo tormentas la playa
será soledad de arena
donde el amor yazca en sueños.
La tierra y el mar lo esperan.

[*La noche a la ventana*]

La noche a la ventana.
Ya la luz se ha dormido.
Guardada está la dicha
en el aire vacío.

Levanta entre las hojas,
tú, mi aurora futura;
no dejes que me anegue
el sueño entre sus plumas.

Pero escapa el deseo
por la noche entreabierta,
y en límpido reposo
el cuerpo se contempla.

Acreciente la noche
sus sombras y su calma,
que a su rosal la rosa
volverá la mañana.

Y una vaga promesa
acunando va el cuerpo.
En vano dichas busca
por el aire el deseo.

[*En soledad. No se siente*]

En soledad. No se siente
el mundo, que un muro sella;
la lámpara abre su huella
sobre el diván indolente.
Acogida está la frente
al regazo del hastío.
¿Qué ausencia, qué desvarío
a la belleza hizo ajena?
Tu juventud nula, en pena
de un blanco papel vacío.

[*Escondido en los muros*]

Escondido en los muros
este jardín me brinda
sus ramas y sus aguas
de secreta delicia.

Qué silencio. ¿Es así
el mundo? Cruz al cielo
desfilando paisajes,
risueño hacia lo lejos.

Tierra indolente. En vano
resplandece el destino.
Junto a las aguas quietas
sueño y pienso que vivo.

Mas el tiempo ya tasa
el poder de esta hora;
madura su medida
escapa entre sus rosas.

Y el aire fresco vuelve
con la noche cercana,
su tersura olvidando
las ramas y las aguas.

De *Égloga, elegía, oda*
(1927-1928)

Homenaje

Ni mirto ni laurel. Fatal extiende
su frontera insaciable el vasto muro
por la tiniebla fúnebre. En lo oscuro,
todo vibrante, un claro son asciende.

Cálida voz extinta, sin la pluma
que opacamente blanca la vestía,
ráfagas de su antigua melodía
levanta arrebatada entre la bruma.

Es un rumor celándose suave;
tras una gloria triste, quiere, anhela.
Con su acento armonioso se desvela
ese silencio sólido tan grave.

El tiempo, duramente acumulando
olvido hacia el cantor, no lo aniquila;
siempre joven su voz, late y oscila,
al mundo de los hombres va cantando.

Mas el vuelo mortal tan dulce ¿adónde
perdidamente huyó? Deshecho brío,
el mármol absoluto en un sombrío
reposo melancólico lo esconde.

Qué paz estéril, solitaria, llena
aquel vivir pasado, en lontananza,
aunque, trabajo bello, con pujanza
aún surta esa perenne, humana vena.

Toda nítida aquí, vivaz perdura
en un son que es ahora transparente.
Pero un eco, tan solo; ya no siente
quien le infundió tan lúcida hermosura.

Oda

La tristeza sucumbe, nube impura,
alejando su vuelo con sombrío
resplandor indolente, languidece,
perdiéndose a lo lejos, leve, oscura.
El furor implacable del estío
toda la vida espléndida estremece
y profunda la ofrece
con sus felices horas,
sus soles, sus auroras,
delirante, azulado torbellino.
Desde la luz, el más puro camino,
con el fulgor que pisa compitiendo,
vivo, bello y divino,
un joven dios avanza sonriendo.

¿A qué cielo natal ajeno, ausente
le niega esa inmortal presencia esquiva,
ese contorno tibiamente pleno?
De mármol animado, quiere y siente;
inmóvil, pero trémulo, se aviva

al soplo de un purpúreo anhelar lleno.
El dibujo sereno
del desnudo tan puro,
en un reflejo duro,
con sombra y luz acusa su reposo.
Y levantando el bulto prodigioso
desde el sueño remoto donde yace,
destino poderoso,
a la fuerza suprema firme nace.

Pero ¿es un dios? El ademán parece
romper de su actitud la pura calma
con un gesto de muda melodía,
que luego, suspendido, no perece;
silencioso, mas vivido, con alma,
mantiene sucesiva su armonía.
El dios que traslucía
ahora olvidado yace;
eco suyo, renace
el hombre que ninguna nube cela.
La hermosura diáfana no vela
ya la atracción humana ante el sentido;
y su forma revela
un mundo eternamente presentido.

Qué prodigiosa forma palpitante,
cuerpo perfecto en el vigor primero,
en su plena belleza tan humano.
Alzando su contorno triunfante,
sólido, sí, mas ágil y ligero,
abre la vida inmensa ante su mano.
Todo el horror en vano
a esa firmeza entera
con sus sombras quisiera
derribar de tan fúlgida armonía.
Pero, acero obstinado, sólo fía
en sí mismo ese orgullo tan altivo;
claramente se guía
con potencia admirable, libre y vivo.

Cuando la fuerza bella, la destreza
despliega en la amorosa empresa ingrata
el cuerpo; cuando trémulo suspira;
cuando en la sangre, oculta fortaleza,
el amor desbocado se desata,
el labio con afán ávido aspira
la gracia que respira
una forma indolente;
bajo su brazo siente
otro cuerpo de lánguida blancura
distendido, ofreciendo su ternura,
como cisne mortal entre el sombrío
verdor de la espesura,
que ama, canta y sucumbe en desvarío.

Mas los tristes cuidados amorosos
que tercamente la pasión reclama
de quien su vida en otras manos deja,
el tierno lamentar, los enojosos
hastíos escondidos del que ama
y tantas lentas lágrimas de queja,
el azar firme aleja
de este cuerpo sereno;
a su vigor tan pleno
la libertad conviene solamente,
no el cuidado vehemente
de las terribles y fugaces glorias
que el amor más ardiente
halla en fin tras su débiles victorias.

Así en su labio enamorada nace
sonrisa luminosa, dilatando
por el viril semblante la alegría.
Y la antigua tristeza ya deshace,
desde el candor primero gravitando,
la amargura secreta que nutría.
El cuerpo ya desvía
la natural crudeza
en hermosa destreza
que por los tensos músculos remueve.

Y a la orilla cercana, al agua leve,
la forma tras su extraña imagen salta,
relámpago de nieve
bajo la luz difusa de tan alta.

Sonriente, dormida bajo el cielo,
soñaba el agua y transcurría lenta,
idéntica a sí misma y fugitiva.
Mas en tumulto alzándose, en revuelo
de rota espuma, al nadador ostenta
ingrávido en su fuga a la deriva.
Y la forma se aviva
con reflejos de plata;
ata el río y desata,
en transparente lazo mal seguro,
aquel rumbo veloz entre su oscuro
anhelar ya resuelto en diamante.
La luz, esplendor puro,
cálida envuelve al cuerpo como amante.

Un frescor sosegado se levanta
hacia las hojas desde el verde río
y en invisible vuelo se diluye.
La sombra misteriosa ya suplanta,
entre el boscaje ávido y sombrío,
a la luz tan diáfana que huye.
Y la corriente fluye
con su rumor sereno;
todo el cielo está lleno
del trinar que algún pájaro desvela.
El bello cuerpo en pie, desnudo cela,
bajo la rama espesa, entretejida
como difícil tela,
su cegadora nieve estremecida.

Oh nuevo dios. Con deslumbrante brío
al crepúsculo vuelve vagoroso
su perezosa gracia seductora.
Todo el fúlgido encanto del estío
el fatigado bosque rumoroso

en reposo vacío lo evapora.
Vana y feliz, la hora
al sopor indolente
se abandona; no siente
su silenciosa y lánguida hermosura.
Por la centelleante trama oscura
huye el cuerpo feliz casi en un vuelo,
dejando la espesura
por la delicia púrpura del cielo.

De *Un río, un amor* [1929]

Remordimiento en traje de noche

Un hombre gris avanza por la calle de niebla;
no lo sospecha nadie. Es un cuerpo vacío;
vacío como pampa, como mar, como viento,
desiertos tan amargos bajo un cielo implacable.

Es el tiempo pasado, y sus alas ahora
entre la sombra encuentran una pálida fuerza;
es el remordimiento, que de noche, dudando,
en secreto aproxima su sombra descuidada.

No estrechéis esa mano. La yedra altivamente
ascenderá cubriendo los troncos del invierno.
Invisible en la calma el hombre gris camina.
¿No sentís a los muertos? Mas la tierra está sorda.

Quisiera estar solo en el sur

Quizá mis lentos ojos no verán más el sur
de ligeros paisajes dormidos en el aire,
con cuerpos a la sombra de ramas como flores
o huyendo en un galope de caballos furiosos.

El sur es un desierto que llora mientras canta,
y esa voz no se extingue como pájaro muerto;
hacia el mar encamina sus deseos amargos
abriendo un eco débil que vive lentamente.

En el sur tan distante quiero estar confundido.
La lluvia allí no es más que una rosa entreabierta;
su niebla misma ríe, risa blanca en el viento.
Su oscuridad, su luz son bellezas iguales.

Sombras blancas

Sombras frágiles, blancas, dormidas en la playa,
dormidas en su amor, en su flor de universo,
el ardiente color de la vida ignorando
sobre un lecho de arena y de azar abolido.

Libremente los besos desde sus labios caen
en el mar indomable como perlas inútiles;
perlas grises o acaso cenicientas estrellas
ascendiendo hacia el cielo con luz desvanecida.

Bajo la noche el mundo silencioso naufraga;
bajo la noche rostros fijos, muertos, se pierden.
Sólo esas sombras blancas, oh blancas, sí, tan blancas
La luz también da sombras, pero sombras azules.

Oscuridad completa

No sé por qué, si la luz entra,
los hombres andan bien dormidos,
recogiendo la vida su apariencia
joven de nuevo, bella entre sonrisas.

No sé por qué he de cantar
o verter de mis labios vagamente palabras;
palabras de mis ojos,
palabras de mis sueños perdidos en la nieve.

De mis sueños copiando los colores de nubes,
de mis sueños copiando nubes sobre la pampa.

Estoy cansado

Estar cansado tiene plumas,
tiene plumas graciosas como un loro,
plumas que desde luego nunca vuelan,
mas balbucean igual que loro.

Estoy cansado de las casas,
prontamente en ruinas sin un gesto;
estoy cansado de las cosas,
con un latir de seda vueltas luego de espaldas.

Estoy cansado de estar vivo,
aunque más cansado sería el estar muerto;
estoy cansado del estar cansado
entre plumas ligeras sagazmente,
plumas del loro aquel tan familiar o triste,
el loro aquel del siempre estar cansado.

Desdicha

Un día comprendió cómo sus brazos eran
solamente de nubes;
imposible con nubes estrechar hasta el fondo
un cuerpo, una fortuna.

La fortuna es redonda y cuenta lentamente
estrellas del estío.
Hacen falta unos brazos seguros como el viento,
y como el mar un beso.

Pero él con sus labios,
con sus labios no sabe sino decir palabras;
palabras hacia el techo,
palabras hacia el suelo,
y sus brazos son nubes que transforman la vida
en aire navegable.

Todo esto por amor

Derriban gigantes de los bosques para hacer un durmiente,
derriban los instintos como flores,
deseos como estrellas,
para hacer sólo un hombre con su estigma de hombre.

Que derriben también imperios de una noche,
monarquías de un beso,
no significa nada;
que derriben los ojos, que derriben las manos como estatuas vacías,
acaso dice menos.

Mas este amor cerrado por ver sólo su forma,
su forma entre las brumas escarlata,
quiere imponer la vida, como otoño ascendiendo tantas
hojas
Hacia el último cielo,
donde estrellas
sus labios dan a otras estrellas,
donde mis ojos, estos ojos,
se despiertan en otros.

No se qué nombre darle en mis sueños

Ante mi forma encontré aquella forma
en tiempo de crepúsculo,
cuando las desapariciones
confunden los colores a los ojos,
cuando el último amor
busca el cuerpo postrero.

Una angustia sin fondo aullaba entre las piedras;
hacia el aire, hombres sordos,
la cabeza olvidada,
pasaban a lo lejos como libres o muertos;
vergonzoso cortejo de fantasmas
con las cadenas rotas colgando de las manos.

La vida puso entonces una lámpara
sobre muros sangrientos;
el día ya cansado secaba tristemente
las futuras auroras, remendadas
como harapos de rey.

La lámpara eras tú,
mis labios, mi sonrisa,
forma que hallan mis manos en todo lo que alcanzan.

Si mis ojos se cierran es para hallarte en sueños,
detrás de la cabeza,
detrás del mundo esclavizado,
en ese país perdido
que un día abandonamos sin saberlo.

Duerme, muchacho

La rabia de la muerte, los cuerpos torturados,
la revolución, abanico en la mano,
impotencia del poderoso, hambre del sediento,
duda con manos de duda y pies de duda;

La tristeza, agitando sus collares
para alegrar un poco tantos viejos;
todo unido entre tumbas como estrellas,
entre lujurias como lunas;

La muerte, la pasión en los cabellos,
dormitan tan minúsculas como un árbol,
dormitan tan pequeñas o tan grandes
como un árbol crecido hasta llegar al suelo.

Hoy sin embargo está también cansado.

La canción del oeste

Jinete sin cabeza,
jinete como un niño buscando entre rastrojos
llaves recién cortadas,
víboras seductoras, desastres suntuosos,
navíos para tierra lentamente de carne,
de carne hasta morir igual que muere un hombre.

A lo lejos
una hoguera transforma en ceniza recuerdos,
noches como una sola estrella,
sangre extraviada por las venas un día,
furia color de amor,
amor color de olvido,
aptos ya solamente para triste buhardilla.

Lejos canta el oeste,
aquel oeste que las manos antaño
creyeron apresar como el aire a la luna;
mas la luna es madera, las manos se liquidan
gota a gota idénticas a lágrimas.

Olvidemos pues todo, incluso al mismo oeste;
olvidemos que un día las miradas de ahora
lucirán a la noche, como tantos amantes,
sobre el lejano oeste,
sobre amor más lejano.

¿Son todos felices?

El honor de vivir con honor gloriosamente,
el patriotismo hacia la patria sin nombre,
el sacrificio, el deber de labios amarillos,
no valen un hierro devorando
poco a poco algún cuerpo triste a causa de ellos mismos.

Abajo pues la virtud, el orden, la miseria;
abajo todo, todo, excepto la derrota,
derrota hasta los dientes, hasta ese espacio helado
de una cabeza abierta en dos a través de soledades,
sabiendo nada más que vivir es estar a solas con la
muerte.

Ni siquiera esperar ese pájaro con brazos de mujer,
con voz de hombre oscurecida deliciosamente,

porque un pájaro, aunque sea enamorado,
no merece aguardarle, como cualquier monarca
aguarda que las torres maduren hasta frutos podridos.

Gritemos sólo,
gritemos a un ala enteramente,
para hundir tantos cielos,
tocando entonces soledades con mano disecada.

Como la piel

Ventana huérfana con cabellos habituales,
gritos del viento,
atroz paisaje entre cristal de roca,
prostituyendo los espejos vivos,
flores clamando a gritos
su inocencia anterior a obesidades.

Esas cuevas de luces venenosas
destrozan los deseos, los durmientes;
luces como lenguas hendidas
penetrando en los huesos hasta hallar la carne,
sin saber que en el fondo no hay fondo,
no hay nada, sino un grito,
un grito, otro deseo
sobre una trampa de adormideras crueles.

En un mundo de alambre
donde el olvido vuela por debajo del suelo,
en un mundo de angustia,
alcohol amarillento,
plumas de fiebre,
ira subiendo a un cielo de vergüenza,
algún día nuevamente resurgirá la flecha
que abandona el azar
cuando una estrella muere como otoño para olvidar su
sombra.

De *Los placeres prohibidos* [1931]

Diré cómo nacisteis

Diré cómo nacisteis, placeres prohibidos,
como nace un deseo sobre torres de espanto,
amenazadores barrotes, hiel descolorida,
noche petrificada a fuerza de puños,
antes todos, incluso el más rebelde,
apto solamente en la vida sin muros.

Corazas infranqueables, lanzas o puñales,
todo es bueno si deforma un cuerpo;
tu deseo es beber esas hojas lascivas
o dormir en ese agua acariciadora.
No importa;
ya declaran tu espíritu impuro.

No importa la pureza, los dones que un destino
levantó hacia las aves con manos imperecederas;
no importa la juventud, sueño más que hombre,
la sonrisa tan noble, playa de seda bajo la tempestad
de un régimen caído.

Placeres prohibidos, planetas terrenales,
miembros de mármol con sabor de estío,
jugo de esponjas abandonadas por el mar,
flores de hierro, resonantes como el pecho de un hombre.

Soledades altivas, coronas derribadas,
libertades memorables, manto de juventudes;
quien insulta esos frutos, tinieblas en la lengua,
es vil como un rey, como sombra de rey
arrastrándose a los pies de la tierra
para conseguir un trozo de vida.

No sabía los límites impuestos,
límites de metal o papel,
ya que el azar le hizo abrir los ojos bajo una luz tan alta,
adonde no llegan realidades vacías,
leyes hediondas, códigos, ratas de paisajes derruidos.

Extender entonces la mano
es hallar una montaña que prohibe,
un bosque impenetrable que niega,
un mar que traga adolescentes rebeldes.

Pero si la ira, el ultraje, el oprobio y la muerte,
ávidos dientes sin carne todavía,
amenazan abriendo sus torrentes,
de otro lado vosotros, placeres prohibidos,
bronce de orgullo, blasfemia que nada precipita,
tendéis en una mano el misterio.
Sabor que ninguna amargura corrompe,
cielos, cielos relampagueantes que aniquilan.

Abajo, estatuas anónimas,
sombras de sombras, miseria, preceptos de niebla;
una chispa de aquellos placeres
brilla en la hora vengativa.
Su fulgor puede destruir vuestro mundo.

Telarañas cuelgan de la razón

Telarañas cuelgan de la razón
en un paisaje de ceniza absorta;
ha pasado el huracán de amor,
ya ningún pájaro queda.

Tampoco ninguna hoja,
todas van lejos, como gotas de agua
de un mar cuando se seca,
cuando no hay ya lágrimas bastantes,
porque alguien, cruel como un día de sol en primavera,
con su sola presencia ha dividido en dos un cuerpo.

Ahora hace falta recoger los trozos de prudencia,
aunque siempre nos falte alguno;
recoger la vida vacía
y caminar esperando que lentamente se llene,
si es posible, otra vez, como antes,
de sueños desconocidos y deseos invisibles.

Tú nada sabes de ello,
tú estás allá, cruel como el día;
el día, esa luz que abraza estrechamente un triste muro,
un muro, ¿no comprendes?,
un muro frente al cual estoy solo.

Qué ruido tan triste

Qué ruido tan triste el que hacen dos cuerpos cuando
se aman,
parece como el viento que se mece en otoño
sobre adolescentes mutilados,
mientras las manos llueven,
manos ligeras, manos egoístas, manos obscenas,
cataratas de manos que fueron un día
flores en el jardín de un diminuto bolsillo.

Las flores son arena y los niños son hojas,
y su leve ruido es amable al oído
cuando ríen, cuando aman, cuando besan,
cuando besan el fondo
de un hombre joven y cansado
porque antaño soñó mucho día y noche.

Mas los niños no saben,
ni tampoco las manos llueven como dicen;
así el hombre, cansado de estar solo con sus sueños,
invoca los bolsillos que abandonan arena,
arena de las flores,
para que un día decoren su semblante de muerto.

No decía palabras

No decía palabras,
acercaba tan sólo un cuerpo interrogante,
porque ignoraba que el deseo es una pregunta
cuya respuesta no existe,
una hoja cuya rama no existe,
un mundo cuyo cielo no existe.

La angustia se abre paso entre los huesos,
remonta por las venas
hasta abrirse en la piel,
surtidores de sueño
hechos carne en interrogación vuelta a las nubes.

Un roce al paso,
una mirada fugaz entre las sombras,
bastan para que el cuerpo se abra en dos,
ávido de recibir en sí mismo
otro cuerpo que sueñe;
mitad y mitad, sueño y sueño, carne y carne,
iguales en figura, iguales en amor, iguales en deseo.

Aunque sólo sea una esperanza,
porque el deseo es una pregunta cuya respuesta nadie sabe.

Si el hombre pudiera decir

Si el hombre pudiera decir lo que ama,
si el hombre pudiera levantar su amor por el cielo
como una nube en la luz;
si como muros que se derrumban,
para saludar la verdad erguida en medio,
pudiera derrumbar su cuerpo, dejando sólo la verdad de su amor,
la verdad de sí mismo,
que no se llama gloria, fortuna o ambición,
sino amor o deseo,
yo sería aquel que imaginaba;
aquel que con su lengua, sus ojos y sus manos
proclama ante los hombres la verdad ignorada,
la verdad de su amor verdadero.

Libertad no conozco sino la libertad de estar preso en alguien
cuyo nombre no puedo oír sin escalofrío;
alguien por quien me olvido de esta existencia mezquina,
por quien el día y la noche son para mí lo que quiera,
y mi cuerpo y espíritu flotan en su cuerpo y espíritu
como leños perdidos que el mar anega o levanta
libremente, con la libertad del amor,
la única libertad que me exalta,
la única libertad porque muero.

Tú justificas mi existencia:
si no te conozco, no he vivido;
si muero sin conocerte, no muero, porque no he vivido.

Unos cuerpos son como flores

Unos cuerpos son como flores,
otros como puñales,
otros como cintas de agua;
pero todos, temprano o tarde,
serán quemaduras que en otro cuerpo se agranden,
convirtiendo por virtud del fuego a una piedra en un
hombre.

Pero el hombre se agita en todas direcciones,
sueña con libertades, compite con el viento,
hasta que un día la quemadura se borra,
volviendo a ser piedra en el camino de nadie.

Yo, que no soy piedra, sino camino
que cruzan al pasar los pies desnudos,
muero de amor por todos ellos;
les doy mi cuerpo para que lo pisen,
aunque les lleve a una ambición o a una nube,
sin que ninguno comprenda
que ambiciones o nubes
no valen un amor que se entrega.

Los marineros son las alas del amor

Los marineros son las alas del amor,
son los espejos del amor,
el mar les acompaña,
y sus ojos son rubios lo mismo que el amor
rubio es también, igual que son sus ojos.

La alegría vivaz que vierten en las venas
rubia es también,
idéntica a la piel que asoman;

no les dejéis marchar porque sonríen
como la libertad sonríe,
luz cegadora erguida sobre el mar.

Si un marinero es mar,
rubio mar amoroso cuya presencia es cántico,
no quiero la ciudad hecha de sueños grises;
quiero sólo ir al mar donde me anegue,
barca sin norte,
Cuerpo sin norte hundirme en su luz rubia.

De qué país

De qué país eres tú,
dormido entre realidades como bocas sedientas,
vida de sueños azuzados,
y ese duelo que exhibes por la avenida de los monumentos,
donde dioses y diosas olvidados
levantan brazos inexistentes o miradas marmóreas.

La vieja hilaba en su jardín ceniciento;
tapias, pantanos, aullidos de crepúsculo,
hiedras, batistas, allá se endurecían,
mirando aquellas ruedas fugitivas
hacia las cuales levantaba la arcilla un puño amenazante.

El país es un nombre;
es igual que tú, recién nacido, vengas
al norte, al sur, a la niebla, a las luces;
tu destino será escuchar lo que digan
las sombras inclinadas sobre la cuna.

Una mano dará el poder de sonrisa,
otra dará las rencorosas lágrimas,
otra el puñal experimentado,

otra el deseo que se corrompe, formando bajo la vida
la charca de cosas pálidas,
donde surgen serpientes, nenúfares, insectos, maldades,
corrompiendo los labios, lo más puro.
No podrás pues besar con inocencia,
ni vivir aquellas realidades que te gritan con lengua
inagotable.
Deja, deja, harapiento de estrellas;
muérete bien a tiempo.

Como leve sonido

Como leve sonido:
hoja que roza un vidrio,
agua que pasa unas guijas,
lluvia que besa una frente juvenil;

Como rápida caricia:
pie desnudo sobre el camino,
dedos que ensayan el primer amor,
sábanas tibias sobre el cuerpo solitario;

Como fugaz deseo:
seda brillante en la luz,
esbelto adolescente entrevisto,
lágrimas por ser más que un hombre;

Como esta vida que no es mía
y sin embargo es la mía,
como este afán sin nombre
que no me pertenece y sin embargo soy yo;

Como todo aquello que de cerca o de lejos
me roza, me besa, me hiere,
tu presencia está conmigo fuera y dentro,
es mi vida misma y no es mi vida,
así como una hoja y otra hoja
son la apariencia del viento que las lleva.

Te quiero

Te quiero.

Te lo he dicho con el viento,
jugueteando como animalillo en la arena
o iracundo como órgano tempestuoso;

Te lo he dicho con el sol,
que dora desnudos cuerpos juveniles
y sonríe en todas las cosas inocentes;

Te lo he dicho con las nubes,
frentes melancólicas que sostienen el cielo,
tristezas fugitivas;

Te lo he dicho con las plantas,
leves criaturas transparentes
que se cubren de rubor repentino;

Te lo he dicho con el agua,
vida luminosa que vela un fondo de sombra;
te lo he dicho con el miedo,
te lo he dicho con la alegría,
con el hastío, con las terribles palabras.

Pero así no me basta:
más allá de la vida,
quiero decírtelo con la muerte;
más allá del amor,
quiero decírtelo con el olvido.

He venido para ver

He venido para ver semblantes
amables como viejas escobas,

he venido para ver las sombras
que desde lejos me sonríen.

He venido para ver los muros
en el suelo o en pie indistintamente,
he venido para ver las cosas,
las cosas soñolientas por aquí.

He venido para ver los mares
dormidos en cestillo italiano,
he venido para ver las puertas,
el trabajo, los tejados, las virtudes
de color amarillo ya caduco.

He venido para ver la muerte
y su graciosa red de cazar mariposas,
he venido para esperarte
con los brazos un tanto en el aire,
he venido no sé por qué;
un día abrí los ojos: he venido.

Por ello quiero saludar sin insistencia
a tantas cosas más que amables:
los amigos de color celeste,
los días de color variable,
la libertad del color de mis ojos;

Los niñitos de seda tan clara,
los entierros aburridos como piedras,
la seguridad, ese insecto
que anida en los volantes de la luz.

Adiós, dulces amantes invisibles,
siento no haber dormido en vuestros brazos.
Vine por esos besos solamente;
guardad los labios por si vuelvo.

De *Donde habite el olvido* [1932-1933]

[*Donde habite el olvido*]

Donde habite el olvido,
en los vastos jardines sin aurora;
donde yo sólo sea
memoria de una piedra sepultada entre ortigas
sobre la cual el viento escapa a sus insomnios.

Donde mi nombre deje
al cuerpo que designa en brazos de los siglos,
donde el deseo no exista.

En esa gran región donde el amor, ángel terrible,
no esconda como acero
en mi pecho su ala,
sonriendo lleno de gracia aérea mientras crece el tormento.

Allá donde termine este afán que exige un dueño a imagen suya,
sometiendo a otra vida su vida,
sin más horizonte que otros ojos frente a frente.

Donde penas y dichas no sean más que nombres,
cielo y tierra nativos en torno de un recuerdo;
donde al fin quede libre sin saberlo yo mismo,
disuelto en niebla, ausencia,
ausencia leve como carne de niño.

Allá, allá lejos;
donde habite el olvido.

[*Como una vela sobre el mar*]

Como una vela sobre el mar
resume ese azulado afán que se levanta
hasta las estrellas futuras,
hecho escala de olas
por donde pies divinos descienden al abismo,
también tu forma misma,
ángel, demonio, sueño de un amor soñado,
resume en mí un afán que en otro tiempo levantaba
hasta las nubes sus olas melancólicas.

Sintiendo todavía los pulsos de ese afán,
yo, el más enamorado,
en las orillas del amor,
sin que una luz me vea
definitivamente muerto o vivo,
contemplo sus olas y quisiera anegarme,
deseando perdidamente
descender, como los ángeles aquellos por la escala de
espuma,
hasta el fondo del mismo amor que ningún hombre ha
visto.

[*Esperé un dios en mis días*]

Esperé un dios en mis días
para crear mi vida a su imagen,
mas el amor, como un agua,
arrastra afanes al paso.

Me he olvidado a mí mismo en sus ondas;
vacío el cuerpo, doy contra las luces;
vivo y no vivo, muerto y no muerto;
ni tierra ni cielo, ni cuerpo ni espíritu.

Soy eco de algo;
lo estrechan mis brazos siendo aire,
lo miran mis ojos siendo sombra,
lo besan mis labios siendo sueño.

He amado, ya no amo más;
he reído, tampoco río.

[*Yo fui*]

Yo fui

Columna ardiente, luna de primavera,
mar dorado, ojos grandes.

Busqué lo que pensaba;
pensé, como al amanecer en sueño lánguido,
lo que pinta el deseo en días adolescentes.

Canté, subí,
fui luz un día
arrastrado en la llama.

Como un golpe de viento
que deshace la sombra,

caí en lo negro,
en el mundo insaciable.

He sido.

[*Adolescente fui en días idénticos a nubes*]

Adolescente fui en días idénticos a nubes,
cosa grácil, visible por penumbra y reflejo,
y extraño es, si ese recuerdo busco,
que tanto, tanto duela sobre el cuerpo de hoy.

Perder placer es triste
como la dulce lámpara sobre el lento nocturno;
aquél fui, aquél fui, aquél he sido;
era la ignorancia mi sombra.

Ni gozo ni pena; fui niño
prisionero entre muros cambiantes;
historias como cuerpos, cristales como cielos,
sueño luego, un sueño más alto que la vida.

Cuando la muerte quiera
una verdad quitar de entre mis manos,
las hallará vacías, como en la adolescencia
ardientes de deseo, tendidas hacia el aire.

[*Bajo el anochecer inmenso*]

Bajo el anochecer inmenso,
bajo la lluvia desatada, iba
como un ángel que arrojan
de aquel edén nativo.

Absorto el cuerpo aún desnudo,
todo frío ante la brusca tristeza,
lo que en la luz fue impulso, las alas,
antes candor erguido,
a la espalda pesaban sordamente.

Se buscaba a sí mismo,
pretendía olvidarse a sí mismo;
niño en brazos del aire,
en lo más poderoso descansando,
mano en la mano, frente en la frente.

Entre precipitadas formas vagas,
vasta estela de luto sin retorno,
arrastraba dos lentas soledades,
su soledad de nuevo, la del amor caído.

Ellas fueron sus alas en tiempos de alegría,
esas que por el fango derribadas
burla y respuesta dan al afán que interroga,
al deseo de unos labios.

Quisiste siempre, al fin sabes
cómo ha muerto la luz, tu luz un día,
mientras vas, errabundo mendigo, recordando, deseando;
recordando, deseando.

Pesa, pesa el deseo recordado;
fuerza joven quisieras para alzar nuevamente,
con fango, lágrimas, odio, injusticia,
la imagen del amor hasta el cielo,
la imagen del amor en la luz pura.

[*No es el amor quien muere*]

No es el amor quien muere,
somos nosotros mismos.

Inocencia primera
abolida en deseo,
olvido de sí mismo en otro olvido,
ramas entrelazadas,
¿por qué vivir si desaparecéis un día?

Sólo vive quien mira
siempre ante sí los ojos de su aurora,
sólo vive quien besa
aquel cuerpo de ángel que el amor levantara.

Fantasmas de la pena,
a lo lejos, los otros,
los que ese amor perdieron,
como un recuerdo en sueños,
recorriendo las tumbas
otro vacío estrechan.

Por allá van y gimen,
muertos en pie, vidas tras de la piedra,
golpeando impotencia,
arañando la sombra
con inútil ternura.

No, no es el amor quien muere.

Mi arcángel

No solicito ya ese favor celeste, tu presencia;
como incesante filo contra el pecho,
como el recuerdo, como el llanto,
como la vida misma vas conmigo.

Tú fluyes en mis venas, respiras en mis labios,
te siento en mi dolor;
bien vivo estás en mí, vives en mi amor mismo,
aunque a veces
pesa la luz, la soledad.

Vuelto en el lecho, como niño sin nadie frente al muro,
contra mi cuerpo creo,
radiante enigma, el tuyo;
no ríes así ni hieres,
no marchas ni te dejas, pero estás conmigo.

Estás conmigo como están mis ojos en el mundo,
dueños de todo por cualquier instante;
mas igual que ellos, al hacer la sombra, luego vuelvo,
mendigo a quien despojan de su misma pobreza,
al yerto infierno de donde he surgido.

[*No hace al muerto la herida*]

No hace al muerto la herida,
hace tan sólo un cuerpo inerte;
como el hachazo al tronco,
despojado de sones y caricias,
todo triste abandono al pie de cualquier senda.

Bien tangible es la muerte;
mentira, amor, placer no son la muerte.
La mentira no mata,
aunque su filo clave como puñal alguno;
el amor no envenena,
aunque como un escorpión deje los besos;
el placer no es naufragio,
aunque vuelto fantasma ahuyente todo olvido.

Pero tronco y hachazo,
placer, amor, mentira,
beso, puñal, naufragio,
a la luz del recuerdo son heridas
de labios siempre ávidos;
un deseo que no cesa,
un grito que se pierde
y clama al mundo sordo su verdad implacable.

Voces al fin ahogadas con la voz de la vida,
por las heridas mismas,
igual que un río, escapando;
un triste río cuyo fluir se lleva
las antiguas caricias,
el antiguo candor, la fe puesta en un cuerpo.

No creas nunca, no creas sino en la muerte de todo;
contempla bien ese tronco que muere,
hecho el muerto más muerto,
como tus ojos, como tus deseos, como tu amor;
ruina y miseria que un día se anegan en inmenso olvido,
dejando, burla suprema, una fecha vacía,
huella inútil que la luz deserta.

Los fantasmas del deseo

A Bernabé Fernández-Canivell

Yo no te conocía, tierra;
con los ojos inertes, la mano aleteante,
lloré todo ciego bajo tu verde sonrisa,
aunque, alentar juvenil, sintiera a veces
un tumulto sediento de postrarse,
como huracán henchido aquí en el pecho;
ignorándote, tierra mía,
ignorando tu alentar, huracán o tumulto,
idénticos en esta melancólica burbuja que yo soy
a quien tu voz de acero inspirara un menudo vivir.

Bien sé ahora que tú eres
quien me dicta esta forma y este ansia;
sé al fin que el mar esbelto,
la enamorada luz, los niños sonrientes,
no son sino tú misma;
que los vivos, los muertos,
el placer y la pena,
la soledad, la amistad,

la miseria, el poderoso estúpido,
el hombre enamorado, el canalla,
son tan dignos de mí como de ellos yo lo soy;
mis brazos, tierra, son ya más anchos, ágiles,
para llevar tu afán que nada satisface.

El amor no tiene esta o aquella forma,
no puede detenerse en criatura alguna;
todas son por igual viles y soñadoras.
Placer que nunca muere,
beso que nunca muere,
sólo en ti misma encuentro, tierra mía.
Nimbos de juventud, cabellos rubios o sombríos,
rizosos o lánguidos como una primavera,
sobre cuerpos cobrizos, sobre radiantes cuerpos
que tanto he amado inútilmente,
no es en vosotros donde la vida está, sino en la tierra,
en la tierra que aguarda, aguarda siempre
con su labios tendidos, con su brazos abiertos.

Dejadme, dejadme abarcar, ver unos instantes
este mundo divino que ahora es mío,
mío como lo soy yo mismo,
como lo fueron otros cuerpos que estrecharon mis brazos,
como la arena, que al besarla los labios
finge otros labios, dúctiles al deseo,
hasta que el viento lleva sus mentirosos átomos.

Como la arena, tierra,
como la arena misma,
la caricia es mentira, el amor es mentira, la amistad es
mentira.
Tú sola quedas con el deseo,
con este deseo que aparenta ser mío y ni siquiera es mío,
sino el deseo de todos,
malvados, inocentes,
enamorados o canallas.

Tierra, tierra y deseo.
Una forma perdida.

De *Invocaciones*
[1934-1935]

A un muchacho andaluz

Te hubiera dado el mundo,
muchacho que surgiste
al caer de la luz por tu Conquero,
tras la colina ocre,
entre pinos antiguos de perenne alegría.

¿Eras emanación del mar cercano?
eras el mar aún más
que las aguas henchidas con su aliento,
encauzadas en río sobre tu tierra abierta,
bajo el inmenso cielo con nubes que se orlaban de rotos
resplandores.

Eras el mar aún más
tras de las pobres telas que ocultaban tu cuerpo;
eras forma primera,
eras fuerza inconsciente de su propia hermosura.

Y tus labios, de bisel tan terso,
eran la vida misma,

como una ardiente flor
nutrida con la savia
de aquella piel oscura
que infiltraba nocturno escalofrío.

Si el amor fuera un ala.

La incierta hora con nubes desgarradas,
el río oscuro y ciego bajo la extraña brisa,
la rojiza colina con sus pinos cargados de secretos,
te enviaban a mí, a mi afán ya caído,
como verdad tangible.
Expresión armoniosa de aquel mismo paraje,
entre los ateridos fantasmas que habitan nuestro mundo,
eras tú una verdad,
sola verdad que busco,
más que verdad de amor, verdad de vida;
y olvidando que sombra y pena acechan de continuo
esa cúspide virgen de la luz y la dicha,
quise por un momento fijar tu curso ineluctable.

Creí en ti, muchachillo.

Cuando el mar evidente,
con el irrefutable sol de mediodía,
suspendía mi cuerpo
en esa abdicación del hombre ante su dios,
un resto de memoria
levantaba tu imagen como recuerdo único.

Y entonces,
con sus luces el violento Atlántico,
tantas dunas profusas, tu Conquero nativo,
estaban en mí mismo dichos en tu figura,
divina ya para mi afán con ellos,
porque nunca he querido dioses crucificados,
tristes dioses que insultan
esa tierra ardorosa que te hizo y deshace.

Soliloquio del farero

Cómo llenarte, soledad,
sino contigo misma.

De niño, entre las pobres guaridas de la tierra,
quieto en ángulo oscuro,
buscaba en ti, encendida guirnalda,
mis auroras futuras y furtivos nocturnos,
y en ti los vislumbraba,
naturales y exactos, también libres y fieles,
a semejanza mía,
a semejanza tuya, eterna soledad.

Me perdí luego por la tierra injusta
como quien busca amigos o ignorados amantes;
diverso con el mundo,
fui luz serena y anhelo desbocado,
y en la lluvia sombría o en el sol evidente
quería una verdad que a ti te traicionase,
olvidando en mi afán
cómo las alas fugitivas su propia nube crean.

Y al velarse a mis ojos
con nubes sobre nubes de otoño desbordado
la luz de aquellos días en ti misma entrevistos,
te negué por bien poco;
por menudos amores ni ciertos ni fingidos,
por quietas amistades de sillón y de gesto,
por un nombre de reducida cola en un mundo fantasma,
por los viejos placeres prohibidos,
como los permitidos nauseabundos,
útiles solamente para el elegante salón susurrado,
en bocas de mentira y palabras de hielo.

Por ti me encuentro ahora el eco de la antigua persona
que yo fui,
que yo mismo manché con aquellas juveniles traiciones;
por ti me encuentro ahora, constelados hallazgos,

limpios de otro deseo,
el sol, mi dios, la noche rumorosa,
la lluvia, intimidad de siempre,
el bosque y su alentar pagano,
el mar, el mar como su nombre hermoso;
y sobre todos ellos,
cuerpo oscuro y esbelto,
te encuentro a ti, tú, soledad tan mía,
y tú me das fuerza y debilidad
como al ave cansada los brazos de la piedra.

Acodado al balcón miro insaciable el oleaje,
oigo sus oscuras imprecaciones,
contemplo sus blancas caricias;
y erguido desde cuna vigilante
soy en la noche un diamante que gira advirtiendo a los
hombres,
por quienes vivo, aun cuando no los vea;
y así, lejos de ellos,
ya olvidados sus nombres, los amo en muchedumbres,
roncas y violentas como el mar, mi morada,
puras ante la espera de una revolución ardiente
o rendidas y dóciles, como el mar sabe serlo
cuando toca la hora de reposo que su fuerza conquista.

Tú, verdad solitaria,
transparente pasión, mi soledad de siempre,
eres inmenso abrazo;
el sol, el mar,
la oscuridad, la estepa,
el hombre y su deseo,
la airada muchedumbre,
¿Qué son sino tú misma?

Por ti, mi soledad, los busqué un día;
en ti, mi soledad, los amo ahora.

El viento de septiembre entre los chopos

Por este clima lúcido,
furor estival muerto,
mi vano afán persigue
un algo entre los bosques.

Un no sé qué, una sombra,
cuerpo de mi deseo,
arbórea dicha acaso
junto a un río tranquilo.

Pero escucho; resuena
por el aire delgado,
estelar melodía,
un eco entre los chopos.

Oigo caricias leves,
oigo besos más leves;
por allá baten alas,
por allá van secretos.

No, vosotros no sois,
arroyos taciturnos,
frágiles amoríos
como de sombra humana.

No, clara juventud,
no juguéis mi destino:
no busco vuestra gracia
ni esa breve sonrisa.

Corre allí, entre las cañas,
susurrante armonía;
canta una voz, cantando
como yo mismo, lejos.

Hundo mi cabellera,
busco labios, miradas,
tras las inquietas hojas
de estos cuerpos esbeltos.

Avido aspiro sombra;
oigo un afán tan mío.
Canta, deseo, canta
la canción de mi dicha.

Altas sombras mortales:
vida, afán, canto, os dejo.
Quiero anegar mi espíritu
hecho gloria amarilla.

La gloria del poeta

Demonio hermano mío, mi semejante,
te vi palidecer, colgado como la luna matinal,
oculto en una nube por el cielo,
entre las horribles montañas,
una llama a guisa de flor tras la menuda oreja tentadora,
blasfemando lleno de dicha ignorante,
igual que un niño cuando entona su plegaria,
y burlándote cruelmente al contemplar mi cansancio de
la tierra.

Mas no eres tú,
amor mío hecho eternidad,
quien deba reír de este sueño, de esta impotencia, de
esta caída,
porque somos chispas de un mismo fuego
y un mismo soplo nos lanzó sobre las ondas tenebrosas
de una extraña creación, donde los hombres
se acaban como un fósforo al trepar los fatigosos años
de sus vidas.

Tu carne como la mía
desea tras el agua y el sol el roce de la sombra;
nuestra palabra anhela
el muchacho semejante a una rama florida
que pliega la gracia de su aroma y color en el aire cálido
de mayo;
nuestros ojos el mar monótono y diverso,
poblado por el grito de las aves grises en la tormenta,
nuestra mano hermosos versos que arrojar al desdén de
los hombres.

Los hombres tú los conoces, hermano mío;
mirales cómo enderezan su invisible corona
mientras se borran en la sombra con sus mujeres al brazo,
carga de suficiencia inconsciente,
llevando a comedida distancia del pecho,
como sacerdotes católicos la forma de su triste dios,
los hijos conseguidos en unos minutos que se hurtaron
al sueño
para dedicarlos a la cohabitación, en la densa tiniebla
conyugal
de sus cubiles, escalonados los unos sobre los otros.

Mírales perdidos en la naturaleza,
cómo enferman entre los graciosos castaños o los taciturnos plátanos.
Cómo levantan con avaricia el mentón,
sintiendo un miedo oscuro morderles los talones;
mira cómo desertan de su trabajo el séptimo día autori-
zado,
mientras la caja, el mostrador, la clínica, el bufete, el
despacho oficial
dejan pasar el aire con callado rumor por su ámbito
solitario.

Escúchales brotar interminables palabras
aromatizadas de facilidad violenta,
reclamando un abrigo para el niñito encadenado bajo
el sol divino

o una bebida tibia, que resguarde aterciopeladamente
el clima de sus fauces,
a quienes dañaría la excesiva frialdad del agua natural.

Oye sus marmóreos preceptos
sobre lo útil, lo normal y lo hermoso;
óyeles dictar la ley al mundo, acotar el amor, dar canon
a la belleza inexpresable,
mientras deleitan sus sentidos con altavoces delirantes;
contempla sus extraños cerebros
intentando levantar, hijo a hijo, un complicado edificio
de arena
que negase con torva frente lívida la refulgente paz de
las estrellas.

Esos son, hermano mío,
los seres con quienes muero a solas,
fantasmas que harán brotar un día
el solemne erudito, oráculo de estas palabras mías ante
alumnos extraños,
obteniendo por ello renombre,
más una pequeña casa de campo en la angustiosa sierra
inmediata a la capital;
en tanto tú, tras irisada niebla,
acaricias los rizos de tu cabellera
y contemplas con gesto distraído desde la altura
esta sucia tierra donde el poeta se ahoga.

Sabes sin embargo que mi voz es la tuya,
que mi amor es el tuyo;
deja, oh, deja por una larga noche
resbalar tu cálido cuerpo oscuro,
ligero como un látigo,
bajo el mío, momia de hastío sepulta en anónima yacija,
y que tus besos, ese venero inagotable,
viertan en mi la fiebre de una pasión a muerte entre los
dos;
porque me cansa la vana tarea de las palabras,
como al niño las dulces piedrecillas
que arroja a un lagó, para ver estremecerse su calma
con el reflejo de una gran ala misteriosa.

Es hora ya, es más que tiempo
de que tus manos cedan a mi vida
el amargo puñal codiciado del poeta;
de que lo hundas, con sólo un golpe limpio,
en este pecho sonoro y vibrante, idéntico a un laúd,
donde la muerte únicamente,
la muerte únicamente,
puede hacer resonar la melodía prometida.

A las estatuas de los dioses

Hermosas y vencidas soñais,
vueltos los ciegos ojos hacia el cielo,
mirando las remotas edades
de titánicos hombres,
cuyo amor os daba ligeras guirnaldas
y la olorosa llama se alzaba
hacia la luz divina, su hermana celeste.

eflejo de vuestra verdad, las criaturas
ctas y libres como el agua iban;
o había mordido la brillante maldad
rpos llenos de majestad y gracia.
ros creían y vosotros existíais;
era un delirio sombrío.

la muerte futuras,
ún, en vuestras manos
sivo sueño adormecían
ores bellas,
el mismo amor tornaba
mbres,
uelve al nido
las altas ramas,
tornando los ojos.

Eran tiempos heroicos y frágiles,
deshechos con vuestro poder como un sueño feliz.
Hoy yacéis, mutiladas y oscuras,
entre los grises jardines de las ciudades,
piedra inútil que el soplo celeste no anima,
abandonadas de la súplica y la humana esperanza.

La lluvia con la luz resbalan
sobre tanta muerte memorable,
mientras desfilan a lo lejos muchedumbres
que antaño impíamente desertaron
vuestros marmóreos altares,
santificados en la memoria del poeta.

Tal vez su fe os devuelva el cielo.
Mas no juzguéis por el rayo, la guerra o la plaga
una triste humanidad decaída;
impasibles reinad en el divino espacio.
Distraiga con su gracia el copero solícito
la cólera de vuestro poder que despierta.

En tanto el poeta, en la noche otoñal,
bajo el blanco embeleso lunático,
mira las ramas que el verdor abandona
nevarse de luz beatamente,
y sueña con vuestro trono de oro
y vuestra faz cegadora,
lejos de los hombres,
allá en la altura impenetrable.

De *Las nubes*
[1937-1940]

Noche de luna

Vida tras vida, fueron
olvidando los hombres
aquella diosa virgen
que misteriosamente, desde el cielo,
con amor apacible
asiste a sus vigilias
en el silencio dulce de las noches.

Ella ha sido quien viera a los abuelos
remotos, cuando abordan
en sus pintados barcos,
y ágiles y desnudos se apoderan
con un trémulo imperio de esta tierra,
así como el amante
arrebata y penetra el cuerpo amado.

Sus trabajos vio luego, sus cohabitaciones,
y otros seres menudos,
inhábiles, gritando entre los brazos
de los dominadores, y sus mujeres lánguidas
sonreír débilmente a la raza naciente.

Miró sus largas guerras
con pueblos enemigos
y el azote sagrado
de luchas fratricidas;
contempló esclavitudes y triunfos,
prostituciones, crímenes,
prosperidad, traiciones,
el sordo griterío,
todo el horror humano que salva la hermosura,
y con ella la calma,
la paz donde brota la historia.

También miró el arado
con el siervo pasando
sobre el antiguo campo de batalla,
fertilizado por tanto cuerpo joven;
y en ese mismo suelo ha visto correr luego
al orgulloso dueño sobre caballos recios,
mientras la hierba, ortiga y cardo
brotaban por las vastas propiedades.

Cuánta sangre ha corrido
ante el destino intacto de la diosa.
Cuánto semen viril
vio surgir entre espasmos
de cuerpos hoy deshechos
en el viento y el polvo,
cuyos átomos yerran en leves nubes grises,
velando al embeleso de vasta descendencia
su tranquilo semblante compasivo.

Cuántas claras ruinas,
con jaramago apenas adornadas,
como fuertes castillos un día las ha visto;
piedras más elocuentes que los siglos,
antes holladas por el paso leve
de esbeltas cazadoras, un neblí sobre el puño,
oblicua la mirada soñolienta
entre un aburrimiento y un amor clandestino.

Sombras, sombras efímeras,
en tanto ella, adolescente
como en los prados de la edad de oro,
vierte, azulada urna,
su embeleso letal
sobre nuevos cuerpos oscuros
que la primavera enfebrece
con agudos perfumes vegetales.

Allá tras de las torres, su reflejo
delata la presencia del mar,
mientras los hombres solitarios duermen
inermes en su lecho y confiados.
Los enemigos yacen confundidos.
Algo inmenso reposa, aunque la muerte aceche.
Y el mágico reflejo entre los árboles
permite al soñador abandonarse al canto,
al placer y al reposo,
a lo que siendo efímero se sueña como eterno.

Mas una noche, al contemplar la antigua
morada de los hombres, sólo ha de ver allá
ese reflejo de su dulce fulgor,
mudo y vacío entonces,
estéril tal su hermosura virginal;
sin que ningunos ojos humanos
hasta ella se alcen a través de las lágrimas,
definitivamente frente a frente
el silencio de un mundo que ha sido
y la pura belleza tranquila de la nada.

A un poeta muerto

(F. G. L.)

Así como en la roca nunca vemos
la clara flor abrirse,

entre un pueblo hosco y duro
no brilla hermosamente
el fresco y alto ornato de la vida.
Por esto te mataron, porque eras
verdor en nuestra tierra árida
y azul en nuestro oscuro aire.

Leve es la parte de la vida
que como dioses rescatan los poetas.
El odio y destrucción perduran siempre
sordamente en la entraña
toda hiel sempiterna del español terrible,
que acecha lo cimero
con su piedra en la mano.

Triste sino nacer
con algún don ilustre
aquí, donde los hombres
en su miseria sólo saben
el insulto, la mofa, el recelo profundo
ante aquel que ilumina las palabras opacas
por el oculto fuego originario.

La sal de nuestro mundo eras,
vivo estabas como un rayo de sol,
y ya es tan sólo tu recuerdo
quien yerra y pasa, acariciando
el muro de los cuerpos
con el dejo de las adormideras
que nuestros predecesores ingirieron
a orillas del olvido.

Si tu ángel acude a la memoria,
sombras son estos hombres
que aún palpitan tras las malezas de la tierra;
la muerte se diría
más viva que la vida
porque tú estás con ella,
pasado el arco de su vasto imperio,

poblándola de pájaros y hojas
con tu gracia y tu juventud incomparables.

Aquí la primavera luce ahora.
Mira los radiantes mancebos
que vivo tanto amaste
efímeros pasar juntos al fulgor del mar.
Desnudos cuerpos bellos que se llevan
tras de sí los deseos
con su exquisita forma, y sólo encierran
amargo zumo, que no alberga su espíritu
un destello de amor ni de alto pensamiento.

Igual todo prosigue,
como entonces, tan mágico,
que parece imposible
la sombra en que has caído.
Mas un inmenso afán oculto advierte
que su ignoto aguijón tan sólo puede
aplacarse en nosotros con la muerte.
Como el afán del agua,
a quien no basta esculpirse en las olas,
sino perderse anónima
en los limbos del mar.

Pero antes no sabías
la realidad más honda de este mundo:
el odio, el triste odio de los hombres,
que en ti señalar quiso
por el acero horrible su victoria,
con tu angustia postrera
bajo la luz tranquila de Granada,
distante entre cipreses y laureles,
y entre tus propias gentes
y por las mismas manos
que un día servilmente te halagaran.

Para el poeta la muerte es la victoria;
un viento demoníaco le impulsa por la vida,

y si una fuerza ciega
sin comprensión de amor
transforma por un crimen
a ti, cantor, en héroe,
contempla en cambio, hermano,
cómo entre la tristeza y el desdén
un poder más magnánimo permite a tus amigos
en un rincón pudrirse libremente.

Tenga tu sombra paz,
busque otros valles,
un río donde el viento
se lleve los sonidos entre juncos
y lirios y el encanto
tan viejo de las aguas elocuentes,
en donde el eco como la gloria humana ruede,
como ella de remoto,
ajeno como ella y tan estéril.

Halle tu gran afán enajenado
el puro amor de un dios adolescente
entre el verdor de las rosas eternas;
porque este ansia divina, perdida aquí en la tierra,
tras de tanto dolor y dejamiento,
con su propia grandeza nos advierte
de alguna mente creadora inmensa,
que concibe al poeta cual lengua de su gloria
y luego le consuela a través de la muerte.

Sentimiento de otoño

Llueve el otoño aún verde como entonces
sobre los viejos mármoles,
con aroma vacío, abriendo sueños,
y el cuerpo se abandona.

Hay formas transparentes por el valle,
embeleso en las fuentes,
y entre el vasto aire pálido ya brillan
unas celestes alas.

Tras de las voces frescas queda el halo
virginal de la muerte.
Nada pesa ganado ni perdido.
Lánguido va el recuerdo.

Todo es verdad, menos el odio, yerto
como ese gris celaje
pasando vanamente sobre el oro,
hecho sombra iracunda.

A Larra, con unas violetas

[1837-1937]

Aún se queja su alma vagamente,
el oscuro vacío de su vida.
Mas no pueden pesar sobre esa sombra
algunas violetas,
y es grato así dejarlas,
frescas entre la niebla
con la alegría de una menuda cosa pura
que rescatara aquel dolor antiguo.

Quien habla ya a los muertos,
mudo le hallan los que viven.
Y en este otro silencio, donde el miedo impera.
recoger esas flores una a una
breve consuelo ha sido entre los días
cuya huella sangrienta llevan las espaldas
por el odio cargadas con una piedra inútil.

Si la muerte apacigua
tu boca amarga de Dios insatisfecha,
acepta un don tan leve, sombra sentimental,
en esa paz que bajo tierra te esperaba,
brotando en hierba, viento y luz silvestres,
el fiel y último encanto de estar solo.

Curado de la vida, por una vez sonríe,
pálido rostro de pasión y de hastío.
Mira las calles viejas por donde fuiste errante,
el farol azulado que te guiara, carne yerta,
al regresar del baile o del sucio periódico,
y las fuentes de mármol entre palmas:
aguas y hojas, bálsamo del triste.

La tierra ha sido medida por los hombres,
con sus casas estrechas y matrimonios sórdidos,
su venenosa opinión pública y sus revoluciones
más crueles e injustas que las leyes,
como inmenso bostezo demoníaco;
no hay sitio en ella para el hombre solo,
hijo desnudo y deslumbrante del divino pensamiento.

Y nuestra gran madrastra, mírala hoy deshecha,
miserable y aún bella entre las tumbas grises
de los que como tú, nacidos en su estepa,
vieron mientras vivían morirse la esperanza,
y gritaron entonces, sumidos por tinieblas,
a hermanos irrisorios que jamás escucharon.

Escribir en España no es llorar, es morir,
porque muere la inspiración envuelta en humo,
cuando no va su llama libre en pos del aire.
Así, cuando el amor, el tierno monstruo rubio,
volvió contra ti mismo tantas ternuras vanas,
tu mano abrió de un tiro, roja y vasta, la muerte.

Libre y tranquilo quedaste en fin un día,
aunque tu voz sin ti abrió un dejo indeleble.
Es breve la palabra como el canto de un pájaro,

mas un claro jirón puede prenderse en ella
de embriaguez, pasión, belleza fugitivas,
y subir, ángel vigía que atestigua del hombre,
allá hasta la región celeste e impasible.

Lamento y esperanza

Soñábamos algunos cuando niños, caídos
en una vasta hora de ocio solitario
bajo la lámpara, ante las estampas de un libro,
con la revolución. Y vimos su ala fúlgida
plegar como una mies los cuerpos poderosos.

Jóvenes luego, el sueño quedó lejos
de un mundo donde desorden e injusticia,
hinchendo oscuramente las ávidas ciudades,
se alzaban hasta el aire absorto de los campos.
Y en la revolución pensábamos: un mar
cuya ira azul tragase tanta fría miseria.

El hombre es una nube de la que el sueño es viento.
¿Quién podrá al pensamiento separarlo del sueño?
Sabedlo bien vosotros, los que envidiéis mañana
en la calma este soplo de muerte que nos lleva
pisando entre ruinas un fango con rocío de sangre.

Un continente de mercaderes y de histriones,
al acecho de este loco país, está esperando
que vencido se hunda, solo ante su destino,
para arrancar jirones de su esplendor antiguo.
Le alienta únicamente su propia gran historia dolorida.

Si con dolor el alma se ha templado, es invencible;
pero, como el amor, debe el dolor ser mudo:
no lo digáis, sufridlo en esperanza. Así este pueblo iluso
agonizará antes, presa ya de la muerte,
y vedle luego abierto, rosa eterna en los mares.

La fuente

Hacia el pálido aire se yergue mi deseo,
fresco rumor insomne en fondo de verdura,
como esbelta columna, mas truncada su gracia
corona de las aguas la calma ya celeste.

Plátanos y castaños en lisas avenidas
se llevan a lo lejos mi suspiro diáfano,
de las sendas más claras a las nubes ligeras,
con el lento aleteo de las palomas grises.

Al pie de las estatuas por el tiempo vencidas,
mientras copio su piedra, cuyo encanto ha fijado
mi trémulo esculpir de líquidos momentos,
única entre las cosas, muero y renazco siempre.

Este brotar continuo viene de la remota
cima donde cayeron dioses, de los siglos
pasados, con un dejo de paz, hasta la vida
que dora vagamente mi azul ímpetu helado.

Por mí yerran al viento apaciguados dejos
de las viejas pasiones, glorias, duelos de antaño
y son, bajo la sombra naciente de la tarde,
misterios junto al vano rumor de los efímeros.

El hechizo del agua detiene los instantes:
soy divino rescate a la pena del hombre,
forma de lo que huye de la luz a la sombra,
confusión de la muerte resuelta en melodía.

La visita de Dios

Pasada se halla ahora la mitad de mi vida.
El cuerpo sigue en pie y las voces aún giran
y resuenan con encanto marchito en mis oídos,

mas los días esbeltos ya se marcharon lejos;
sólo recuerdos pálidos de su amor me han dejado.
Como el labrador al ver su trabajo perdido
vuelve al cielo los ojos esperando la lluvia,
también quiero esperar en esta hora confusa
unas lágrimas divinas que aviven mi cosecha.

Pero hondamente fijo queda el desaliento,
como huésped oscuro de mis sueños.
¿Puedo esperar acaso? Todo se ha dado al hombre
tal distracción efímera de la existencia;
a nada puede unir este ansia suya que reclama
una pausa de amor entre la fuga de las cosas.
Vano sería dolerse del trabajo, la casa, los amigos perdidos
en aquel gran negocio demoníaco de la guerra.

Estoy en la ciudad alzada para su orgullo por el rico,
adonde la miseria oculta canta por las esquinas
o expone dibujos que me arrasan de lágrimas los ojos.
Y mordiendo mis puños con tristeza impotente
aún cuento mentalmente mis monedas escasas,
porque un trozo de pan aquí y unos vestidos
suponen un esfuerzo mayor para lograrlos
que el de los viejos héroes cuando vencían
monstruos, rompiendo encantos con su lanza.

La revolución renace siempre, como un fénix
llameante en el pecho de los desdichados.
Esto lo sabe el charlatán bajo los árboles
de las plazas, y su baba argentina, su cascabel sonoro,
silbando entre las hojas, encanta al pueblo
robusto y engañado con maligna elocuencia,
y canciones de sangre acunan su miseria.

Por mi dolor comprendo que otros inmensos sufren
hombres callados a quienes falta el ocio
para arrojar al cielo su tormento. Mas no puedo
copiar su enérgico silencio, que me alivia
este consuelo de la voz, sin tierra y sin amigo,

en la profunda soledad de quien no tiene
ya nada entre sus brazos, sino el aire en torno,
lo mismo que un navío al alejarse sobre el mar.

¿Adónde han ido las viejas compañeras del hombre?
Mis zurcidoras de proyectos, mis tejedoras de esperanzas
han muerto. Sus agujas y madejas reposan
con polvo en un rincón, sin la melodía del trabajo.
Como una sombra aislada al filo de los días,
voy repitiendo gestos y palabras mientras lejos escucho
el inmenso bostezo de los siglos pasados.

El tiempo, ese blanco desierto ilimitado,
esa nada creadora, amenaza a los hombres
y con luz inmortal se abre ante los deseos juveniles.
Unos quieren asir locamente su mágico reflejo,
mas otros le conjuran con un hijo
ofrecido en los brazos como víctima,
porque de nueva vida se mantiene su vida
como el agua del agua llorada por los hombres.

Pero a ti, Dios, ¿con qué te aplacaremos?
Mi sed eras tú, tú fuiste mi amor perdido,
mi casa rota, mi vida trabajada, y la casa y la vida
de tantos hombres como yo a la deriva
en el naufragio de un país. Levantados de naipes,
uno tras otro iban cayendo mis pobres paraísos.
¿Movió tu mano el aire que fuera derribándolos
y tras ellos, en el profundo abatimiento, en el hondo
vacío,
se alza al fin ante mí la nube que oculta su presencia?

No golpees airado mi cuerpo con tu rayo;
si el amor no eres tú, ¿quién lo será en tu mundo?
Compadécete al fin, escucha este murmullo
que ascendiendo llega como una ola
al pie de tu divina indiferencia.
Mira las tristes piedras que llevamos
ya sobre nuestros hombros para enterrar tus dones:

la hermosura, la verdad, la justicia, cuyo afán imposible
tú sólo eras capaz de infundir en nosotros.
Si ellas murieran hoy, de la memoria tú te borrarías
como un sueño remoto de los hombres que fueron.

Cordura

Suena la lluvia oscura.
El campo amortecido
inclina hacia el invierno
cimas densas de árboles.

Los cristales son bruma
donde un iris mojado
refleja ramas grises,
humo de hogares, nubes.

A veces, por los claros
del cielo, la amarilla
luz de un edén perdido
aún baja a las praderas.

Un hondo sentimiento
de alegrías pasadas,
hechas olvido bajo
tierra, llena la tarde.

Turbando el aire quieto
con una queja ronca,
como sombras, los cuervos
agudos, giran, pasan.

Voces tranquilas hay
de hombres, hacia lo lejos,
que el suelo están labrando
como hicieron los padres.

Sus manos, si se extienden,
hallan manos amigas.
Su fe es la misma. Juntos
viven la misma espera.

Allá, sobre la lluvia,
donde anidan estrellas,
Dios por su cielo mira
dulces rincones grises.

Todo ha sido creado,
como yo, de la sombra:
esta tierra a mí ajena,
estos cuerpos ajenos.

Un sueño, que conmigo
El puso para siempre,
me aísla. Así está el chopo
entre encinas robustas.

Duro es hallarse solo
en medio de los cuerpos.
Pero esa forma tiene
su amor: la cruz sin nadie.

Por ese amor espero,
despierto en su regazo,
hallar un alba pura
comunión con los hombres.

Mas la luz deja el campo.
Es tarde y nace el frío.
Cerrada está la puerta,
alumbrando la lámpara.

Por las sendas sombrías
se duele el viento ahora
como alma aislada en lucha.
La noche será breve.

Lázaro

Era de madrugada.
Después de retirada la piedra con trabajo,
porque no la materia sino el tiempo
pesaba sobre ella,
oyeron una voz tranquila
llamándome, como un amigo llama
cuando atrás queda alguno
fatigado de la jornada y cae la sombra.
Hubo un silencio largo.
Así lo cuentan ellos que lo vieron.

Yo no recuerdo sino el frío
extraño que brotaba
desde la tierra honda, con angustia
de entresueño, y lento iba
a despertar el pecho,
donde insistió con unos golpes leves,
ávido de tornarse sangre tibia.
En mi cuerpo dolía
un dolor vivo o un dolor soñado.

Era otra vez la vida.
Cuando abrí los ojos
fue el alba pálida quien dijo
la verdad. Porque aquellos
rostros ávidos, sobre mí estaban mudos,
mordiendo un sueño vago inferior al milagro,
como rebaño hosco
que no a la voz sino a la piedra atiende,
y el sudor de sus frentes
oí caer pesado entre la hierba.

Alguien dijo palabras
de nuevo nacimiento.
mas no hubo allí sangre materna
ni vientre fecundado
que crea con dolor nueva vida doliente.

Sólo anchas vendas, lienzos amarillos
con olor denso, desnudaban
la carne gris y fláccida como fruto pasado;
no el terso cuerpo oscuro, rosa de los deseos,
sino el cuerpo de un hijo de la muerte.

El cielo rojo abría hacia lo lejos
tras de olivos y alcores;
el aire estaba en calma.
Mas temblaban los cuerpos,
como las ramas cuando el viento sopla,
brotando de la noche con los brazos tendidos
para ofrecerme su propio afán estéril.
La luz me remordía
y hundí la frente sobre el polvo
al sentir la pereza de la muerte.

Quise cerrar los ojos,
buscar la vasta sombra,
la tiniebla primaria
que su venero esconde bajo el mundo
lavando de vergüenzas la memoria.
Cuando un alma doliente en mis entrañas
gritó, por las oscuras galerías
del cuerpo, agria, desencajada,
hasta chocar contra el muro de los huesos
y levantar mareas febriles por la sangre.

Aquel que con su mano sostenía
la lámpara testigo del milagro,
mató brusco la llama,
porque ya el día estaba con nosotros.
Una rápida sombra sobrevino.
Entonces, hondos bajo una frente, vi unos ojos
llenos de compasión, y hallé temblando un alma
donde mi alma se copiaba inmensa,
por el amor dueña del mundo.

Vi unos pies que marcaban la linde de la vida,
el borde de una túnica incolora
plegada, resbalando
hasta rozar la fosa, como un ala
cuando a subir tras de la luz incita.
Sentí de nuevo el sueño, la locura
y el error de estar vivo,
siendo carne doliente día a día.
Pero él me había llamado
y en mí no estaba ya sino seguirle.

Por eso, puesto en pie, anduve silencioso,
aunque todo para mí fuera extraño y vano,
mientras pensaba: así debieron ellos,
muerto yo, caminar llevándome a la tierra.
La casa estaba lejos;
otra vez vi sus muros blancos
y el ciprés del huerto.
Sobre el terrado había una estrella pálida.
Dentro no hallamos lumbre
en el hogar cubierto de ceniza.

Todos le rodearon en la mesa.
Encontré el pan amargo, sin sabor las frutas,
el agua sin frescor, los cuerpos sin deseo;
la palabra hermandad sonaba falsa,
y de la imagen del amor quedaban
sólo recuerdos vagos bajo el viento.
El conocía que todo estaba muerto
en mí, que yo era un muerto
andando entre los muertos.

Sentado a su derecha me veía
como aquel que festejan al retorno.
La mano suya descansaba cerca
y recliné la frente sobre ella
con asco de mi cuerpo y de mi alma.
Así pedí en silencio, como se pide
a Dios, porque su nombre,
más vasto que los templos, los mares, las estrellas,

cabe en el desconsuelo del hombre que está solo,
fuerza para llevar la vida nuevamente.

Así rogué, con lágrimas,
fuerza de soportar mi ignorancia resignado,
trabajando, no por mi vida ni mi espíritu,
mas por una verdad en aquellos ojos entrevista
ahora. La hermosura es paciencia.
Sé que el lirio del campo,
tras de su humilde oscuridad en tantas noches
con larga espera bajo tierra,
del tallo verde erguido a la corola alba
irrumpe un día en gloria triunfante.

Jardín antiguo

Ir de nuevo al jardín cerrado,
que tras los arcos de la tapia,
entre magnolios, limoneros,
guarda el encanto de las aguas.

Oír de nuevo en el silencio,
vivo de trinos y de hojas,
el susurro tibio del aire
donde las almas viejas flotan.

Ver otra vez el cielo hondo
a lo lejos, la torre esbelta
tal flor de luz sobre las palmas:
las cosas todas siempre bellas.

Sentir otra vez, como entonces,
la espina aguda del deseo,
mientras la juventud pasada
vuelve. Sueño de un dios sin tiempo.

Amor oculto

Como el tumulto gris del mar levanta
un alto arco de espuma, maravilla
multiforme del agua, y ya en la orilla
roto, otra nueva espuma se adelanta;

Como el campo despierta en primavera
eternamente, fiel bajo el sombrío
celaje de las nubes, y al sol frío
con asfodelos cubre la pradera;

Como el genio en distintos cuerpos nace,
formas que han de nutrir la antigua gloria
de su fuego, mientras la humana escoria
sueña ardiendo en la llama y se deshace,

Así siempre, como agua, flor o llama,
vuelves entre la sombra, fuerza oculta
del otro amor. El mundo bajo insulta.
Pero la vida es tuya: surge y ama.

Un español habla de su tierra

Las playas, parameras
al rubio sol durmiendo,
los oteros, las vegas
en paz, a solas, lejos;

Los castillos, ermitas,
cortijos y conventos,
la vida con la historia,
tan dulces al recuerdo,

Ellos, los vencedores
Caínes sempiternos,

de todo me arrancaron.
Me dejan el destierro.

Una mano divina
tu tierra alzó en mi cuerpo
y allí la voz dispuso
que hablase tu silencio.

Contigo solo estaba,
en ti sola creyendo;
pensar tu nombre ahora
envenena mis sueños.

Amargos son los días
de la vida, viviendo
sólo una larga espera
a fuerza de recuerdos.

Un día, tú ya libre
de la mentira de ellos,
me buscarás. Entonces
¿qué ha de decir un muerto?

Violetas

Leves, mojadas, melodiosas,
su oscura luz morada insinuándose
tal perla vegetal tras verdes valvas,
son un grito de marzo, un sortilegio
de alas nacientes por el aire tibio.

Frágiles, fieles, sonríen quedamente
con mucha incitación, como sonrisa
que brota desde un fresco labio humano.
Mas su forma graciosa nunca engaña:
nada prometen que después traicionen.

Al marchar victoriosas a la muerte
sostienen un momento, ellas tan frágiles,
el tiempo entre sus pétalos. Así su instante alcanza,
norma para lo efímero que es bello,
a ser vivo embeleso en la memoria.

El ruiseñor sobre la piedra

Lirio sereno en piedra erguido
junto al huerto monástico pareces.
Ruiseñor claro entre los pinos
que en canto silencioso levantara.
O fruto de granada, recio afuera,
mas propicio y jugoso en lo escondido.
Así, Escorial, te mira mi recuerdo.
Si hacia los cielos anchos te alzas duro,
sobre el agua serena del estanque
hecho gracia sonríes. Y las nubes
coronan tus designios inmortales.

Recuerdo bien el sur donde el olivo crece
junto al mar claro y el cortijo blanco,
mas hoy va mi recuerdo más arriba, a la sierra
gris bajo el cielo azul, cubierta de pinares,
y allí encuentra regazo, alma con alma.
Mucho enseña el destierro de nuestra propia tierra.
¿Qué saben de ella quienes la gobiernan?
¿Quienes obtienen de ella
fácil vivir con un social renombre?
De ella también somos los hijos
oscuros. Como el mar, no mira
qué aguas son las que van perdidas a sus aguas,
y el cuerpo, que es de tierra, clama por su tierra.

Porque me he perdido
en el tiempo lo mismo que en la vida,
sin cosa propia, fe ni gloria,

entre gentes ajenas
y sobre ajeno suelo
cuyo polvo no es el de mi cuerpo;
no con el pensamiento vuelto a lo pasado,
ni con la fiebre ilusa del futuro,
sino con el sosiego casi triste
de quien mira a lo lejos, de camino,
las tapias que de niño le guardaran
dorarse al sol caído de la tarde,
a ti, Escorial, me vuelvo.

Hay quienes aman los cuerpos
y aquellos que las almas aman.
Hay también los enamorados de las sombras
como poder y gloria. O quienes aman
sólo a sí mismos. Yo también he amado
en otro tiempo alguna de esas cosas,
mas después me sentí a solas con mi tierra,
y la amé, porque algo debe amarse
mientras dura la vida. Pero en la vida todo
huye cuando el amor quiere fijarlo.
Así también mi tierra la he perdido,
y si hoy hablo de ti es buscando recuerdos
en el trágico ocio del poeta.

Tus muros no los veo
con estos ojos míos,
ni mis manos los tocan.
Están aquí, dentro de mí, tan claros,
que con su luz borran la sombra
nórdica donde estoy, y me devuelven
a la sierra granítica en que sueñas
inmóvil, por la verde foscura de los montes
brillando al sol como un acero limpio,
desnudo y puro como carne efímera,
pero tu entraña es dura, hermana de los dioses.

Eres alegre, con gozo mesurado
hecho de impulso y de recogimiento,

que no comprende el hombre si no ha sido
hermano de tus nubes y tus piedras.
Vivo estás como el aire
abierto de montaña,
como el verdor desnudo
de solitarias cimas,
como los hombres vivos
que te hicieron un día,
alzando en ti la imagen
de la alegría humana,
dura porque no pase,
muda porque es un sueño.

Agua esculpida eres,
música helada en piedra.
La roca te levanta
como un ave en los aires;
piedra, columna, ala
erguida al sol, cantando
las palabras de un himno,
el himno de los hombres
que no supieron cosas útiles
y despreciaron cosas prácticas.
¿Qué es lo útil, lo práctico,
sino la vieja añagaza diabólica
de esclavizar al hombre
al infierno en el mundo?

Tú, hermosa imagen nuestra,
eres inútil como el lirio.
Pero ¿cuáles ojos humanos
sabrían prescindir de una flor viva?
Junto a una sola hoja de hierba,
¿qué vale el horrible mundo práctico
y útil, pesadilla del norte,
vómito de la niebla y el fastidio?
Lo hermoso es lo que pasa
negándose a servir. Lo hermoso, lo que amamos,
tú sabes qué es un sueño y que por eso
es más hermoso aún para nosotros.

Tú conoces las horas
largas del ocio dulce,
pasadas en vivir de cara al cielo
cantando el mundo bello, obra divina,
con voz que nadie oye
ni busca aplauso humano,
como el ruiseñor canta
en la noche de estío,
porque su sino quiere
que cante, porque su amor le impulsa.
Y en la gloria nocturna
divinamente solo
sube su canto puro a las estrellas.

Así te canto ahora, porque eres
alegre, con trágica alegría
titánica de piedras que enlaza la armonía,
al coro de montañas sujetándola.
Porque eres la vida misma
nuestra, mas no perecedera,
sino eterna, con sus tercos anhelos
conseguidos por siempre y nuevos siempre
bajo una luz sin sombras.
Y si tu imagen tiembla en las aguas tendidas,
es tan sólo una imagen;
y si el tiempo nos lleva, ahogando tanto afán insatisfecho,
es sólo como un sueño;
que ha de vivir tu voluntad de piedra.
Ha de vivir, y nosotros contigo.

De *Como quien espera el alba*
[1941-1944]

Las ruinas

Silencio y soledad nutren la hierba
creciendo oscura y fuerte entre ruinas,
mientras la golondrina con grito enajenado
va por el aire vasto, y bajo el viento
las hojas en las ramas tiemblan vagas
como al roce de cuerpos invisibles.

Puro, de plata nebulosa, ya levanta
el agudo creciente de la luna
vertiendo por el campo paz amiga,
y en esta luz incierta las ruinas de mármol
son construcciones bellas, musicales,
que el sueño completó.

Este es el hombre. Mira
la avenida de tumbas y cipreses, y las calles
llevando al corazón de la gran plaza
abierta a un horizonte de colinas:
todo está igual, aunque una sombra sea
de lo que fue hace siglos, mas sin gente.

Levanta ese titánico acueducto
arcos rotos y secos por el valle agreste
adonde el mirto crece con la anémona,
en tanto el agua libre entre los juncos
pasa con la enigmática elocuencia
de su hermosura que venció a la muerte.

En las tumbas vacías, las urnas sin cenizas,
conmemoran aún relieves delicados
muertos que ya no son sino la inmensa muerte anónima,
aunque sus prendas leves sobrevivan:
pomos ya sin perfume, sortijas y joyeles
o el talismán irónico de un sexo poderoso,
que el trágico desdén del tiempo perdonara.

Las piedras que los pies vivos rozaron
en centurias atrás, aún permanecen
quietas en su lugar, y las columnas
en la plaza, testigos de las luchas políticas,
y los altares donde sacrificaron y esperaron,
y los muros que el placer de los cuerpos recataban.

Tan sólo ellos no están. Este silencio
parece que aguardase la vuelta de sus vidas.
Mas los hombres, hechos de esa materia fragmentaria
con que se nutre el tiempo, aunque sean
aptos para crear lo que resiste al tiempo,
ellos en cuya mente lo eterno se concibe,
como en el fruto el hueso encierran muerte.

Oh Dios. Tú que nos has hecho
para morir, ¿por qué nos infundiste
la sed de eternidad, que hace al poeta?
¿Puedes dejar así, siglo tras siglo,
caer como vilanos que deshace un soplo
los hijos de la luz en la tiniebla avara?

Mas tú no existes. Eres tan sólo el nombre
que da el hombre a su miedo y su impotencia,

y la vida sin ti es esto que parecen
estas mismas ruinas bellas en su abandono:
delirio de la luz ya sereno a la noche,
delirio acaso hermoso cuando es corto y es leve.

Todo lo que es hermoso tiene su instante, y pasa.
Importa como eterno gozar de nuestro instante.
Yo no te envidio, Dios; déjame a solas
con mis obras humanas que no duran:
el afán de llenar lo que es efímero
de eternidad, vale tu omnipotencia.

Esto es el hombre. Aprende pues, y cesa
de perseguir eternos dioses sordos
que tu plegaria nutre y tu olvido aniquila.
Tu vida, lo mismo que la flor, ¿es menos bella acaso
porque crezca y se abra en brazos de la muerte?

Sagrada y misteriosa cae la noche,
dulce como una mano amiga que acaricia,
y en su pecho, donde tal ahora yo, otros un día
descansaron la frente, me reclino
a contemplar sereno el campo y las ruinas.

Tierra nativa

A Paquita G. de la Bárcena

Es la luz misma, la que abrió mis ojos
toda ligera y tibia como un sueño,
sosegada en colores delicados
sobre las formas puras de las cosas.

El encanto de aquella tierra llana,
extendida como una mano abierta,
adonde el limonero encima de la fuente
suspendía su fruto entre el ramaje.

El muro viejo en cuya barda abría
a la tarde su flor azul la enredadera,
y al cual la golondrina en el verano
tornaba siempre hacia su antiguo nido.

El susurro del agua alimentando,
con su música insomne en el silencio,
los sueños que la vida aún no corrompe,
el futuro que espera como página blanca.

Todo vuelve otra vez vivo a la mente,
irreparable ya con el andar del tiempo,
y su recuerdo ahora me traspasa
el pecho tal puñal fino y seguro.

Raíz del tronco verde, ¿quién la arranca?
Aquel amor primero, ¿quién lo vence?
tu sueño y tu recuerdo, ¿quién lo olvida,
tierra nativa, más mía cuanto más lejana?

Jardín

Desde un rincón sentado,
mira la luz, la hierba,
los troncos, la musgosa
piedra que mide el tiempo

Al sol en la glorieta,
y las ninfeas, copos
de sueño sobre el agua
inmóvil de la fuente.

Allá en alto la trama
traslúcida de hojas,
el cielo con su pálido
azul, las nubes blancas.

Un mirlo dulcemente
canta, tal la voz misma
del jardín que te hablara.
En la hora apacible

Mira bien con tus ojos,
como si acariciaras
todo. Gratitud debes
de tan puro sosiego,

Libre de gozo y pena,
a la luz, porque pronto,
tal tú de aquí, se parte.
A lo lejos escuchas

La pisada ilusoria
del tiempo, que se mueve
hacia el invierno. Entonces
tu pensamiento y este

Jardín que así contemplas
por la luz traspasado,
han de yacer con largo
sueño, mudos, sombríos.

La familia

¿Recuerdas tú, recuerdas aún la escena
a que día tras día asististe paciente
en la niñez, remota como sueño al alba?
El silencio pesado, las cortinas caídas,
el círculo de luz sobre el mantel, solemne
como paño de altar, y alrededor sentado
aquel concilio familiar, que tantos ya cantaron,
bien que tú, de entraña dura, aún no lo has hecho.

Era la cabecera el padre adusto,
la madre caprichosa estaba en frente,
con la hermana mayor imposible y desdichada,
y la menor más dulce, quizá no más dichosa,
el hogar contigo mismo componiendo,
la casa familiar, el nido de los hombres,
inconsistente y rígido, tal vidrio
que todos quiebran, pero nadie dobla.

Presidían mudos, graves, la penumbra,
ojos que no miraban los ojos de los otros,
mientras sus manos pálidas alzaban como hostia
un pedazo de pan, un fruto, una copa con agua,
y aunque entonces vivían en ellos presentiste,
tras la carne vestida, el doliente fantasma
que al rezo de los otros nunca calma
la amargura de haber vivido inútilmente.

Suya no fue la culpa si te hicieron
en un rato de olvido indiferente,
repitiendo tan sólo un gesto transmitido
por otros y copiado sin una urgencia propia,
cuya intención y alcance no pensaban.
Tampoco fue tu culpa si no les comprendiste:
al menos has tenido la fuerza de ser franco
para con ellos y contigo mismo.

Se propusieron, como los hombres todos, lo durable,
lo que les aprovecha, aunque en torno miren
que nada dura en ellos ni aprovecha,
que nada es suyo, ni ese trago de agua
refrescando sus fauces en verano,
ni la llama que templa sus manos en invierno,
ni el cuerpo que penetran con deseo
dos soledades en una carne sola.

Ellos te dieron todo: cuando animal inerme
te atendieron con leche y con abrigo;
después, cuando creció tu cuerpo a par del alma,
con dios y con moral te proveyeron,

recibiendo deleite tras de azuzarte a veces
para tu fuerza tierna doblegar a sus leyes.
Te dieron todo, sí: vida que no pedías,
y con ella la muerte de dura compañera.

Pero algo más había, agazapado
dentro de ti, como alimaña en cueva oscura,
que no te dieron ellos, y eso eres:
fuerza de soledad, en ti pensarte vivo,
ganando tu verdad con tus errores.
Así, tan libremente, el agua brota y corre,
sin servidumbre de mover batanes,
irreductible al mar, que es su destino.

Aquel amor de ellos te apresaba
como prenda medida para otros,
y aquella generosidad, que comprar pretendía
tu asentimiento a cuanto
no era según el alma tuya.
A odiar entonces aprendiste el amor que no sabe
arder anónimo sin recompensa alguna.

El tiempo que pasó, desvaneciéndolos
como burbuja sobre la haz del agua,
rompió la pobre tiranía que levantaron,
y libre al fin quedaste, a solas con tu vida,
entre tantos de aquellos que, sin hogar ni gente,
dueños en vida son del ancho olvido.

Luego con embeleso probando cuanto era
costumbre suya prohibir en otros
y a cuyo trasgresor la excomunión seguía,
te acordaste de ellos, sonriendo apenado.
Cómo se engaña el hombre y cuán en vano
da reglas que prohiben y condenan.
¿Es toda acción humana, como estimas ahora,
fruto de imitación y de inconsciencia?

Por esta extraña llama hoy trémula en tus manos,
que aun deseándolo, temes ha de apagarse un día,

hasta ti transmitida con la herencia humana
de experiencias inútiles y empresas inestables
obrando el bien y el mal sin proponérselo,
no prevalezcan las puertas del infierno
sobre vosotros ni vuestras obras de la carne,
oh padre taciturno que no le conociste,
oh madre melancólica que no le comprendiste.

Que a esas sombras remotas no perturbe
en los limbos finales de la nada
tu memoria como un remordimiento.
Este cónclave fantasmal que los evoca,
ofreciendo tu sangre tal bebida propicia
para hacer a los idos visibles un momento,
perdón y paz os traiga a ti y a ellos.

El andaluz

Sombra hecha de luz,
que templando repele,
es fuego con nieve
el andaluz.

Enigma al trasluz,
pues va entre gente solo,
es amor con odio
el andaluz.

Oh hermano mío, tú.
Dios, que te crea,
será quien comprenda
al andaluz.

A un poeta futuro

No conozco a los hombres. Años llevo
de buscarles y huirles sin remedio.
¿No les comprendo? ¿O acaso les comprendo
demasiado? Antes que en estas formas
evidentes, de brusca carne y hueso,
súbitamente rotas por un resorte débil
si alguien apasionado les allega,
muertos en la leyenda les comprendo
mejor. Y regreso de ellos a los vivos,
fortalecido amigo solitario,
como quien va del manantial latente
al río que sin pulso desemboca.

No comprendo a los ríos. Con prisa errante pasan
desde la fuente al mar, en ocio atareado,
llenos de su importancia, bien fabril o agrícola;
la fuente, que es promesa, el mar sólo la cumple,
el multiforme mar, incierto y sempiterno.
Como en fuente lejana, en el futuro
duermen las formas posibles de la vida
en un sueño sin sueños, nulas e inconscientes,
prontas a reflejar la idea de los dioses.
Y entre los seres que serán un día
sueñas tu sueño, mi imposible amigo.

No comprendo a los hombres. Mas algo en mí responde
que te comprendería, lo mismo que comprendo
los animales, las hojas y las piedras,
compañeros de siempre silenciosos y fieles.
Todo es cuestión de tiempo en esta vida,
un tiempo cuyo ritmo no se acuerda,
por largo y vasto, al otro pobre ritmo
de nuestro tiempo humano corto y débil.
Si el tiempo de los hombres y el tiempo de los dioses
fuera uno, esta nota que en mí inaugura el ritmo,
unida con la tuya se acordaría en cadencia,
no callando sin eco entre el mudo auditorio.

Mas no me cuido de ser desconocido
en medio de estos cuerpos casi contemporáneos,
vivos de modo diferente al de mi cuerpo
de tierra loca que pugna por ser ala
y alcanzar aquel muro del espacio
separando mis años de los tuyos futuros.
Sólo quiero mi brazo sobre otro brazo amigo,
que otros ojos compartan lo que miran los míos.
Aunque tú no sabrás con cuánto amor hoy busco
por ese abismo blanco del tiempo venidero
la sombra de tu alma, para aprender de ella
a ordenar mi pasión según nueva medida.

Ahora, cuando me catalogan ya los hombres
bajo sus clasificaciones y sus fechas,
disgusto a unos por frío y a los otros por raro,
y en mi temblor humano hallan reminiscencias
muertas. Nunca han de comprender que si mi lengua
el mundo cantó un día, fue amor quien la inspiraba.
Yo no podré decirte cuánto llevo luchando
para que mi palabra no se muera
silenciosa conmigo, y vaya como un eco
a ti, como tormenta que ha pasado
y un son vago recuerda por el aire tranquilo.

Tú no conocerás cómo domo mi miedo
para hacer de mi voz mi valentía,
dando al olvido inútiles desastres
que pululan en torno y pisotean
nuestra vida con estúpido gozo,
la vida que serás y que yo casi he sido.
Porque presiento en este alejamiento humano
cuán míos habrán de ser los hombres venideros,
cómo esta soledad será poblada un día,
aunque sin mí, de camaradas puros a tu imagen.
Si renuncio a la vida es para hallarla luego
conforme a mi deseo, en tu memoria.

Cuando en hora tardía, aún leyendo
bajo la lámpara luego me interrumpo
para escuchar la lluvia, pesada tal borracho
que orina en la tiniebla helada de la calle,
algo débil en mí susurra entonces:
los elementos libres que aprisiona mi cuerpo
¿fueron sobre la tierra convocados
por esto sólo? ¿hay más? Y si lo hay ¿adónde
hallarlo? No conozco otro mundo si no es éste,
y sin ti es triste a veces. Amame con nostalgia,
como a una sombra, como yo he amado
la verdad del poeta bajo nombres ya idos.

Cuando en días venideros, libre el hombre
del mundo primitivo a que hemos vuelto
de tiniebla y de horror, lleve el destino
tu mano hacia el volumen donde yazcan
olvidados mis versos, y lo abras,
yo sé que sentirás mi voz llegarte,
no de la letra vieja, mas del fondo
vivo en tu entraña, con un afán sin nombre
que tú dominarás. Escúchame y comprende.
En sus limbos mi alma quizá recuerde algo,
y entonces en ti mismo mis sueños y deseos
tendrán razón al fin, y habré vivido.

Primavera vieja

Ahora, al poniente morado de la tarde,
en flor ya los magnolios mojados de rocío,
pasar aquellas calles, mientras crece
la luna por el aire, será soñar despierto.

El cielo con su queja harán más vasto
bandos de golondrinas; el agua en una fuente
librará puramente la honda voz de la tierra;
luego el cielo y la tierra quedarán silenciosos.

En el rincón de algún compás, a solas
con la frente en la mano, un fantasma
que vuelve, llorarías pensando
cuán bella fue la vida y cuán inútil.

Quetzalcoatl

Yo estaba allí, mas no me preguntéis
de dónde o cómo vino, sabed sólo
que estuve yo también cuando el milagro.
No importa el nombre. Una aldea cualquiera
me vio nacer allá en el mundo viejo
y apenas vivo me adiestré en la vida
del miserable: hambre, frío, trabajo
con soledad. ¿Quién le dio al fango un alma?

Pero tuve algo más: el cielo aquel, el cielo
de la tarde en Castilla (puro y vasto
como frente de un dios que piensa el mundo,
un mar de sangre y oro, cuya fiebre
la calmaba, toda azul, la noche honda
con su perenne escalofrío de estrellas),
me enseñó la lección digna del alma
cuando lo contemplaba yo de niño
sobre las bardas últimas al páramo.

Luego, como arenal sediento bebe el agua,
así embebió mi mente las leyendas
de aquellos que pasaban a las Indias,
perla sin par oculta en el abismo atlántico
y por un hombre hallada, para adornar con ella,
poeta que regala su propio sueño vivo,
manos regias avaras y crueles.

Cuando vi un día las murallas rojas
de la costa alejarse, y yo perderme
en la masa de agua, sentí ceder el nudo
que invisible nos ata a nuestra tierra;

madrastra fuera, que no madre, y aún la quise.
Comencé entonces a morir, mas era joven
y en ello no pensé, dándolo al olvido.
Otras constelaciones velaron mi esperanza.

Pisando tierra nueva, de la mano el destino
me llevó llanamente al hombre designado
para la hazaña: aquel Cortés, demonio o ángel,
como queráis; para mí sólo un hombre
tal manda Dios, apasionado y duro,
temple de diamante, que es fuego congelado
a cuya vista ciega quien le mira.

La ciudad contemplada desde el monte
desnuda la intención secreta de sus calles,
creídas al pisarla confusión sin rumbo;
así desnudó el tiempo aquellos años nuestros
preliminares, aunque perdidos parecieran:
su dispersión impulsó al aire la semilla
que caída en la tierra dio luego la cosecha.

Y el momento llegó cuando nos fuimos
por el mar un puñado de hombres;
el mundo era sin límite, igual a mi deseo.
Frente al afán de ver, de ver con estos ojos
que ha de cegar la muerte, lo demás, ¿qué valía?
Mas este pensamiento a nadie dije
entre mis compañeros, a quienes hostigaba
la ambición de riqueza y poderío.

Realidad fabulosa como leyenda alguna
allá nos esperaba, y nosotros la hallamos
tras sus cimas nevadas y sus lagos profundos:
un reino virgen cimentado en el oro y la esmeralda,
guardado por cobrizas criaturas recónditas
para las cuales Cristo fue nombre nunca oído.

Astucia, fuerza, crueldad y crimen,
todo lo cometimos, y nos fue devuelto
con creces; mas vencimos, y nadie hizo otro tanto

antes, ni hará después: un puñado de hombres
que la codicia apenas guardó unidos
ganaron un imperio milenario.

Ya sé lo que decís: el horror de la guerra,
mas lo decís en paz, y en guerra calláis con mansedumbre.
Nadie supo la guerra tan bien como nosotros,
ni siquiera los hombres allá en el mundo viejo
donde el emperador un trozo de pan daba
por conquistarle reinos: castillos en el aire,
no bien ganados cuando ya perdidos.

Cuerpos acometí, arrancando sus almas
apenas fatigadas de la vida,
como el aire inconsciente las hojas de una rama;
destinos corté en flor, por la corola
aún intacto el color, puro el perfume.
¿Hubo algún Garcilaso que mi piedra
hundiera bruscamente al fondo de la muerte?
El reino del poeta tampoco es de este mundo.

Cuando en una mañana, por los arcos y puertas
que abrió la capital vencida ante nosotros,
onduló como serpiente de bronce y diamante
cortejo con litera trayendo al rey azteca,
me pareció romperse el velo mismo
de los últimos cielos, desnuda ya la gloria.
Sí, allí estuve, y lo vi; envidiadme vosotros.

La masa nevada de terrazas y torres,
por la ciudad lejana de innumerables puentes,
se copiaba en el agua áurea de las lagunas
como sueño esculpido en luz gloriosa,
y encima refulgía la corona del cielo.

Pobre rey Moctezuma, golondrina
rezagada que sorprende el invierno,
mojada y aterida el ala ya sin fuerza.
Pero no es rey quien nace, y Cortés lo sabía.

¿Por qué lo olvidó luego, emulando con duques
en la corte lejana, él, cuyos pies se hicieron
para besarlos príncipes y reyes?
Cuando él se abandonó también Dios le abandona.

Ahora amigos y enemigos están muertos
y yace en paz el polvo de unos y de otros,
menos yo: en mi existencia juntas sobreviven
victorias y derrotas que el recuerdo hizo amigas.
¿Quién venció a quién?, a veces me pregunto.

Nada queda hoy que hacer, acotada la tierra
que ahora el traficante reclama como suya
ya sólo puede el hombre hacer dinero o hijos.
Y en un rincón al sol de este suelo, más mío
que lo es el otro allá en el mundo viejo, solo, pobre
tal vine, aguardo el fin sin temor y sin prisa.
Del viento nació el dios y volvió al viento
que hizo de mí una pluma entre sus alas.
Oh tierra de la muerte, ¿dónde está tu victoria?

Los espinos

Verdor nuevo los espinos
tienen ya por la colina,
toda de púrpura y nieve
en el aire estremecida.

Cuántos cielos florecidos
les has visto; aunque a la cita
ellos serán siempre fieles,
tú no lo serás un día.

Antes que la sombra caiga,
aprende cómo es la dicha
ante los espinos blancos
y rojos en flor. Vé. Mira.

Aplauso humano

Ahora todas aquellas criaturas grises
cuya sed parca de amor nocturnamente satisface
el aguachirle conyugal, al escuchar tus versos,
por la verdad que exponen podrán escarnecerte.

Cuánto pedante en moda y periodista en venta
humana flor perfecta se estimarán entonces
frente a ti, así como el patán rudimentario
hasta la náusea hozando la escoria del deseo.

La consideración mundana tú nunca la buscaste,
aún menos cuando fuera su precio una mentira,
como bufón sombrío traicionando tu alma
a cambio de un cumplido con oficial benevolencia.

Por ello en vida y muerte pagarás largamente
la ocasión de ser fiel contigo y unos pocos,
aunque jamás sepan los otros que desvío
siempre es razón mejor ante la grey.

Pero a veces aún dudas si la verdad del alma
no debiera guardarla el alma a solas,
contemplarla en silencio, y así nutrir la vida
con un tesoro intacto que no profana el mundo.

Mas tus labios hablaron, y su verdad fue al aire.
Sigue con la frente tranquila entre los hombres,
y si un sarcasmo escuchas, súbito como piedra,
formas amargas del elogio ahí descifre tu orgullo.

Hacia la tierra

Cuando tiempo y distancia
engañan los recuerdos,
¿quién lo ignora?, es amargo
volver. Porque interpuesto

Algo está entre los ojos
la imagen primera,
mudando duramente
amor en extrañeza.

Es acaso un espacio
vacío, una luz ida,
ajada en toda cosa
ya la hermosura viva.

Mas volver debe el alma
tal pájaro en otoño,
y aquel dolor pasado
visitar, y aquel gozo.

Nube de una mañana
áurea, rama de púrpura
junto a una tapia, sombra
azul bajo la luna.

Posibles paraísos
o infiernos ya no entiende
el alma sino en tierra.
Por eso el alma quiere,

Cansada de los sueños
y los delirios tristes,
volver a la morada
suya antigua. Y unirse,

Como se une la piedra
al fondo de su agua,
fatal, oscuramente,
con una tierra amada.

Noche del hombre y su demonio

D: Vive la madrugada. Cobra tu señorío.
Percibe la existencia en dolor puro.
Ahora el alma es oscura, y los ojos no hallan
sino tiniebla en torno. Es ésta la hora cierta
para hablar de la vida, la vida tan amada.
Si al Dios de quien es obra le reprochas
que te la diera limitada en muerte,
su don en sueños no malgastes. Hombre, despierta.

H: Entre los brazos de mi sueño estaba
aprendiendo a morir. ¿Por qué me acuerdas?
¿Te inspira acaso envidia el sueño humano?
Amo más que la vida este sosiego a solas,
y tú me arrancas de él, para volverme
al carnaval de sombras, por el cual te deslizas
con ademán profético y paso insinuante
tal ministro en desgracia. No quiero verte. Déjame.

D: No sólo forja el hombre a imagen propia
su Dios, aún más se le asemeja su demonio.
Acaso mi apariencia no concierte
con mi poder latente: aprendo hipocresía,
envejezco además, y ya desmaya el tiempo
el huracán sulfúreo de las alas
en el cuerpo del ángel que fui un día.
En mí tienes espejo. Hoy no puedo volverte
la juventud huraña que de ti ha desertado.

H: En la hora feliz del hombre, cuando olvida,
aguzas mi conciencia, mi tormento;
como enjambre irritado los recuerdos atraes;
con sarcasmo mundano suspendes todo acto,
dejándolo incompleto, nulo para la historia,
y luego, comparando cuánto valen
ante un chopo con sol en primavera
los sueños del poeta, susurras cómo el sueño
es de esta realidad la sombra inútil.

D: Tu inteligencia se abre entre el engaño:
es como flor a un viejo regalada,
y a poco que la muerte se demore,
ella será clarividente un día.
Mas si el tiempo destruye la sustancia,
que aquilate la esencia ya no importa.
Ha sido la palabra tu enemigo:
por ella de estar vivo te olvidaste.

H: Hoy me reprochas el culto a la palabra.
¿Quién si no tú puso en mí esa locura?
El amargo placer de transformar el gesto
en son, sustituyendo el verbo al acto.
Ha sido afán constante de mi vida.
Y mi voz no escuchada, o apenas escuchada,
ha de sonar aún cuando yo muera,
sola, como el viento en los juncos sobre el agua.

D: Nadie escucha una voz, tú bien lo sabes.
¿Quién escuchó jamás la voz ajena
si es pura y está sola? El histrión elocuente,
el hierofante vano miran crecer el corro
propicio a la mentira. Ellos viven, prosperan;
tú vegetas sin nadie. El mañana ¿qué importa?
Cuando a ellos les olvide el destino, y te recuerde,
un nombre tú serás, un son, un aire.

H: Me hieres en el centro más profundo,
pues conoces que el hombre no tolera
estar vivo sin más: como en un juego trágico
necesita apostar su vida en algo,
algo de que alza un ídolo, aunque con barro sea,
y antes que confesar su engaño quiere muerte.
Mi engaño era inocente, y a nadie arruinaba
excepto a mí, aunque a veces yo mismo lo veía.

D: Siento esta noche nostalgia de otras vidas.
Quisiera ser el hombre común de alma letárgica
que extrae de la moneda beneficio,
deja semilla en la mujer legítima,
sumisión cosechando con la prole,
por pública opinión ordena su conciencia
y espera en Dios, pues frecuentó su templo.

H: ¿Por qué de mí haces burla duramente?
Si pierde su sabor la sal del mundo
nada podrá volvérselo, y tú no existirías
si yo fuese otro hombre más feliz acaso,
bien que no es la cuestión el ser dichoso.
Amo el sabor amargo y puro de la vida,
este sentir por otros la conciencia
aletargada en ellos, con su remordimiento,
y aceptar los pecados que ellos mismos rechazan.

D: Pobre asceta irrisorio, confiesa cuánto halago
ofrecen el poder y la fortuna:
alas para cernerse al sol, negar la zona
en sombra de la vida, gratificar deseos,
con dúctil amistad verse fortalecido,
comprarlo todo, ya que todo está en venta,
y contemplando la miseria extraña
hacer más delicado el placer propio.

H: Dos veces no se nace, amigo. Vivo al gusto
de Dios. ¿Quién evadió jamás a su destino?
El mío fue explorar esta extraña comarca,
contigo siempre a zaga, subrayando
con tu sarcasmo mi dolor. Ahora silencio,
por si alguno pretende que me quejo: es más digno
sentirse vivo en medio de la angustia
que ignorar con los grandes de este mundo,
cerrados en su limbo tras las puertas de oro.

D: Después de todo, ¿quién dice que no sea
tu Dios, no tu demonio, el que te habla?
amigo ya no tienes sino es éste
que te incita y despierta, padeciendo contigo.
Mas mira cómo el alba a la ventana
te convoca a vivir sin ganas otro día.
Pues el mundo no aprueba al desdichado,
recuerda la sonrisa y, como aquel que aguarda,
álzate y ve, aunque aquí nada esperes.

Amando en el tiempo

El tiempo, insinuándose en tu cuerpo,
como nube de polvo en fuente pura,
aquella gracia antigua desordena
y clava en mí una pena silenciosa.

Otros antes que yo vieron un día,
y otros luego verán, cómo decae
la amada forma esbelta, recordando
de cuánta gloria es cifra un cuerpo hermoso.

Pero la vida solos la aprendemos,
y placer y dolor se ofrecen siempre
tal mundo virgen para cada hombre;
así mi pena inculta es nueva ahora.

Nueva como lo fuese al primer hombre,
que cayó con su amor del paraíso,
cuando viera, su cielo ya vencido
por sombras, decaer el cuerpo amado.

Río vespertino

Dejando atrás el claustro, donde suenan
ecos de voces nuevas y nonatas,
por la vereda del molino viejo

se llega al río, en cuya margen hay
edificios de ámbar ceniciento,
barcas ociosas que el verano esperan
por la corriente estrecha, entre los juncos
y estos olmos de hermosura increíble.
Está todo abstraído en una pausa
de silencio y quietud. Tan sólo un mirlo
estremece con el canto la tarde.
Su destino es más puro que el del hombre
que para el hombre canta, pretendiendo
ser voz significante de la grey,
la conciencia insistente en esa huida
de las almas. Contemplación, sosiego,
el instante perfecto, que tal fruto
madura, inútil es para los otros,
condenando al poeta y su tarea
de ver en unidad el ser disperso,
el mundo fragmentario donde viven.
Sueño no es lo que al poeta ocupa,
mas la verdad oculta, como el fuego
subyacente en la tierra. Son los otros,
traficantes de sueños infecundos,
quienes despiertan en la muerte un día,
pobres al fin. ¿De qué le vale al hombre
ganar su vida mientras pierde el alma,
si sólo un pensamiento vale el mundo?
Desatendido queda por los otros
el sentido profundo del trabajo
que ocupó con amor a tantas vidas,
no que el amor así perdido busque
elogio corruptor, honor innoble,
pero amor en amor quiere moneda,
aunque sólo en amar halla su precio.
Alguno en tiempos idos se acogía
al muro propio, al libro y al amigo,
mas ahora vería roto el muro,
vacío el libro y el amigo inútil.
Aquéllos son los más, tienen la tierra
y apenas si un rincón queda asignado
para el poeta, como muerto en vida.

Es la patria madrastra avariciosa,
exigiendo el sudor, la sangre, el semen
a cambio del olvido y del destierro.
No importa la existencia, el tiempo dado
para justificarla, así se muere
no de una muerte actual sino futura.
El alma, adoctrinada en hecatombes,
del gobierno de Dios ya descreída,
político eficaz cree al demonio.
Verdad es vehemencia de la masa,
gloria es complicidad en algo impuro;
ajado en toda cosa está el encanto,
el fruto deseado amarga ahora
y un círculo de sombra encierra al día.
Con tácita premura en cada ciclo
la primavera acerca más la muerte
y adondequiera que los ojos miren
memoria de la muerte sólo encuentran.
Pero desesperada la esperanza
insiste al revivir la savia nueva,
con frágil insistencia, como en marzo
la campanilla blanca rompe el suelo
desolado por el cierzo y la escarcha.
¿Es del suelo la flor, o acaso al aire
debe forma, color, gracia y aroma?
Sin raíz, es mejor. La tierra pide
demasiado, y el aire es generoso
hacia las criaturas de este suelo,
cuando el camino de la luz procura
su oscura fe. Aquella cosa importa
de cuya fe conocimiento viene,
piedra angular de las generaciones
que labraron con fe lo no creído,
seguros, no en las cosas que veían,
pues fe no necesita lo visible;
fe, contra toda razón, es algo ciego,
sombra del pensamiento aquietadora.
Si la voz del poeta no es oída,
¿sino mejor no es para el poeta?

Del hombre aprende el hombre la palabra,
mas el silencio sólo en Dios lo aprende.
En la paz vespertina, más humilde
que el júbilo animal a la mañana,
lo renunciado es poseído ahora,
cuando la luz su espada ya depuso
en el tiempo sin tiempo, consumando
la identidad del día y de la noche.
El viento fantasmal entre los olmos
las hojas idas mueve y las futuras.
Está dormido el mirlo. Las estrellas
no descienden al agua todavía.

Vereda del cuco

Cuántas veces has ido en otro tiempo
camino de esta fuente,
buscando por la senda oscura
adonde mana el agua,
para quedar inmóvil en su orilla,
mirando con asombro mudo
cómo allá, entre la hondura,
con gesto semejante aunque remoto,
surgía otra apariencia
de encanto ineludible,
propicia y enemiga,
y tú la contemplabas,
como aquel que contempla
revelarse el destino
sobre la arena en signos inconstantes.

Un desear atávico te atrajo
aquí, madura la mañana,
niño ya no, ni hombre todavía,
con nostalgia y pereza
de la primera edad lenta en huirnos;

e indeciso tu paso se detuvo,
distante la corriente.
Mas su rumor cercano,
hablando ensimismada,
pasando reticente,
mientras por esa pausa tímida aprendías
a conocer tu sed aún inexperta,
antes de que los labios la aplacaran
en extraño dulzor y en amargura.

Vencido el niño, el hombre que ya eras
fue al venero, cuyo fondo insidioso
recela la agonía,
la lucha con la sombra profunda de la tierra
para alcanzar la luz, y bebiste del agua,
tornándose tu sed luego más viva,
que la abstinencia supo
darle fuerza mayor a aquel sosiego
líquido, concordante
de tu sed, tan herido
de ella como del agua misma,
y entonces no pudiste
desertar la vereda
oscura de la fuente.

Tal si fuese la vida
lo que el amante busca,
cuántas veces pisaste
este sendero oscuro
adonde el cuco silba entre los olmos,
aunque no puede el labio
beber dos veces de la misma agua,
y al invocar la hondura
una imagen distinta respondía,
evasiva a la mente,
ofreciendo, escondiendo
la expresión inmutable,
la compañía fiel en cuerpos sucesivos,
que el amor es lo eterno y no lo amado.

Para que sea perdido,
para que sea ganado
por su pasión, un riesgo
donde el que más arriesga es que más ama,
es el amor fuente de todo;
hay júbilo en la luz porque brilla esa fuente,
encierra al dios la espiga porque mana esa fuente,
voz pura es la palabra porque suena esa fuente,
y la muerte es de ella el fondo codiciable.
Extático en su orilla,
oh tormento divino,
oh divino deleite,
bebías de tu sed y de la fuente a un tiempo,
sabiendo a eternidad tu sed y el agua.

No importa que la vida
te desterrara de esa orilla verde,
su silencio sonoro,
su soledad poblada;
lo que el amor te ha dado
contigo ha de quedar, y es tu destino,
en el alba o la noche,
en olvido o memoria
que si el cuerpo de un día
es ceniza de siempre,
sin ceniza no hay llama,
ni sin muerte es el cuerpo
testigo del amor, fe del amor eterno,
razón del mundo que rige las estrellas.

Como flor encendidas,
como el aire ligeras,
mira esas otras formas juveniles
bajo las ramas donde silva el cuco,
que invocan hoy la imagen
oculta allá en la fuente,
como tú ayer; y dudas si no eres
su sed hoy nueva, si no es tu amor el suyo,
en ellos redivivo,
aquel que desde el tiempo inmemorable,

con un gesto secreto,
en su pasión encuentra
rescate de la muerte,
aceptando la muerte para crear la vida.

Aunque tu día haya pasado,
eres tú, y son los idos,
quienes por estos ojos nuevos buscan
en la haz de la fuente
la realidad profunda,
íntima y perdurable;
eres tú, y son los idos,
quienes por estos cuerpos nuevos vuelven
a la vereda oscura,
y ante el tránsito ciego de la noche
huyen hacia el oriente,
dueños del sortilegio,
conocedores del fuego originario,
la pira donde el fénix muere y nace.

De *Vivir sin estar viviendo*
[1944-1949]

Cuatro poemas a una sombra

I. La ventana

Recuerda la ventana
sobre el jardín nocturno,
casi conventual; aquel sonido humano,
oscuro de las hojas, cuando el tiempo,
lleno de la presencia y la figura amada,
sobre la eternidad un ala inmóvil,
hace ya de tu vida
centro cordial del mundo,
de ti puesto en olvido,
enajenado entre las cosas.

Todo esplendor, misterio
primaveral, el cielo luce
como agua que en la noche orea;
y al contemplarle, sientes
pena de abandonar esta ventana,
para ceder en sueño tanta vida,
al reposo definitivo
anticipado el cuerpo,
cuando por el amor tu espíritu rescata
la realidad profunda.

Sin esperarle, contra el tiempo,
nuevamente ha venido,
rompiendo el sueño largo
por cuyo despertar te aparecía
la muerte sólo; y trae
el sentido consigo, la pasión, la conciencia,
como recién creados admirables,
en su pureza y su vigor primeros,
que estando ya, no estaban,
pues entre estar y estar hay diferencia.

Su voluntad, maestra de la tuya,
delicia y miedo inspira,
penetrando en la sangre, como música
inmaterial dominadora,
y al poder te somete de unos ojos,
donde amanece el alma
allá en su fondo azul, tranquilo y frío,
hacia la luz alzados,
unida a ellos, y unido tú con ellos
por vida y muerte quieres contemplarlos.

El amor nace en los ojos,
adonde tú, perdidamente,
tiemblas de hallarle aún desconocido,
sonriente, exigiendo;
la mirada es quien crea,
por el amor, el mundo,
y el amor quien percibe,
dentro del hombre oscuro, el ser divino,
criatura de luz entonces viva
en los ojos que ven y que comprenden.

Miras la noche a la ventana, y piensas
cuán bello es este día de tu vida,
por el encanto mudo
del cual ella recibe
su valor; en los cuerpos,
con soledad heridos,
las almas sosegando,

que a una y otra cifra, dos mitades
tributarias del odio,
a la unidad las restituye.

Un astro fijo iluminando el tiempo,
aunque su luz al tiempo desconoce,
es hoy tu amor, que quiere
exaltar un destino
adonde se conciertan fuerza y gracia;
fijar una existencia
con tregua eterna y breve, tal la rosa;
el dios y el hombre unirlos:
en obras de la tierra lo divino olvidado,
lo terreno probado en el fuego celeste.

Como la copa llena,
cuando sin apurarla es derramada
con un gesto seguro de la mano,
tu fe despierta y tu fervor despierto,
enamorado irías a la muerte,
cayendo así, ¿ello es muerte o caída?,
mientras contemplas, ya a la aurora,
el azul puro y hondo de esos ojos,
porque siempre la noche
con tu amor se ilumine.

II. El amigo

Los lugares idénticos parecen,
las cosas como antes,
mas él no está, ni la luz, ni las hojas,
y en esta calma hacia el final del año
llevas la soledad por toda compañía.

Es grato errar afuera,
ir con tu sombra, recordando
lo pasado tan cerca en lo presente,
crecida ya su flor sin tiempo.
¿Es ésta soledad si así está llena?

El mediodía ahora, con su cielo
que se acerca velado
al río de aguas ciegas,
vuelve hacia ti la historia,
íntimo y silencioso como un libro.

En su sosiego crees
que una forma ligera se encamina
dulcemente a tu lado,
como el amigo aquel, cuando las hojas
y la luz, luego idas con él mismo.

Le llamas ido, y no semeja
su vida, transcurriendo a la distancia,
espectro de la mente hoy,
sino vida en la tuya, entre estas cosas
que le vieron contigo.

Negado a tu deseo, hallas entonces
que si tocas tu mano es con su mano,
que si miran tus ojos es con sus ojos,
y tu amor en ti mismo
tiene cuanto le dio y en él perdiera.

No le busques afuera. El ya no puede
ser distinto de ti, ni tú tampoco
ser distinto de él: unidos vais,
formando un solo ser de dos impulsos,
como al pájaro solo hacen dos alas.

III. La escarcha

Mira los árboles, como en estío,
por la escarcha brotados
con hojas otra vez, hojas heladas
espectro de las idas. Así mismo a la mente
aquella imagen del amor, antes amiga,
regresa extraña ahora.

Todo cuanto fue entonces
tibieza, movimiento,
restituido así bajo esta escarcha,
suspende el tiempo, y deja
lo presente vacío,
lo pasado visible sin encanto.

Parece que la muerte,
siguiendo nuestra trama de la vida,
sus formas remedase,
no brotadas del fuego originario,
mas del frío postrero,
halo transubstanciado en torno de una ausencia.

Dirías que el amor, luz de día en estío,
luego es sombra desconsolada
sobre unos campos transitorios
con sus ramos de hielo,
por los que vas buscando la figura
constante de las cosas.

Dirías. Mas percibes en lo hondo,
como presagio, siempre:
«No era en esos oídos
adonde tu palabra
debía resonar, ni era en esos lugares
donde debías hallar el centro de tu alma.

«Sigue por las regiones del aspirar oscuro,
no buscando sosiego a tu deseo,
confiado en lo inestable,
enamorado en lo enemigo.»
Contra el tiempo, en el tiempo,
así el presagio loco: «espera, espera».

IV. EL FUEGO

Por tierra está aquel chopo,
la sombra que a tu lado contemplabas,
en el aire la cima hacia las nubes,
cuando el verano, como pausa del tiempo,
sobre su hierba al sol te mantenía.

Un haz de luz en horas matinales
era, con el crecer del día oscurecido,
hasta tornarse columna misteriosa al pie del agua
sosteniendo más claras la noche y las estrellas.

A su lado tu amor pensabas,
destinado a vivir sólo un estío,
aunque tan hondamente por el cuerpo arraigase
como en la tierra el árbol.

De tu alentar al alentar del chopo
corría una hermandad, y era consuelo
confiar esperando enamorado,
cerca así de un ahínco negado a tu destino.

Mas aún, en ofrenda
al destino, tendías con gratitud tu vida,
igual a quien su pie desliza por el fango,
sólo atento a una flor que la mano sostiene.

Así amabas entonces,
siguiendo un delicado impulso,
y tu inútil trabajo de amor no te dolía,
aunque donde recela el ángel la pisada
algún bufón se instala como dueño.

En fragmentos ahora arde aquel chopo,
a tu cuerpo de invierno con su llama dando
compañía, tibieza del amor que falta
a nuestro lado, y de llama a recuerdo
vas, y en ambos a ti solo te encuentras.

Cuanto el destino quita
es luego recobrado en forma extraña;
ganar, perder, son nombres sin sentido:
mira cómo tu amor, tu árbol,
con llama de otro impulso se coronan.

Junto al agua, en la hierba, ya no busques,
que no hallarás figura, sino allá en la mente
continuarse el mito de tu existir aún incompleto,
creando otro deseo, dando asombro a la vida,
sueño de alguno donde tú no sabes.

La fecha

También en cielo extraño
y en extraña comarca,
cuando al primer otoño
dice un pájaro el alba.

En el umbral hortensias
con cielo claro, luego
el mar, sin la memoria
todo, al abrir de un sueño.

Allá están los caminos,
a esta luz todavía
vacíos, y entre ellos
uno aguarda tu vida.

No preguntes si vale
la pena haber venido,
sino déjate, piensa
que un dios es hoy tu amigo.

El viento y el alma

Con tal vehemencia el viento
viene del mar, que sus sones
elementales contagian
el silencio de la noche.

Solo en tu cama le escuchas
insistente en los cristales
tocar, llorando y llamando
como perdido sin nadie.

Mas no es él quien en desvelo
te tiene, sino otra fuerza
de que tu cuerpo es hoy cárcel,
fue viento libre, y recuerda.

El retraído

Como el niño jugando
con desechos del hombre,
un harapo brillante,
papel coloreado o pedazo de vidrio,
a los que su imaginación da vida mágica,
y goza y canta y sueña
a lo largo de días que las horas no miden,
así con tus recuerdos.

No son como las cosas
de que cerciora el tacto,
que contemplan los ojos;
de cuerpo más aéreo
que un aroma, un sonido,
sólo tienen la forma prestada por tu mente,
existiendo invisibles para el mundo
aun cuando el mundo para ti lo integran.

Vivir contigo quieres
vida menos ajena que esta otra,
donde placer y pena
no sean accidentes encontrados,
sino faces del alma
que refleja el destino
con la fidelidad trasmutadora
de la imagen brotando en aguas quietas.

Esperan tus recuerdos
el sosiego exterior de los sentidos
para llamarte o para ser llamados,
como esperan las cuerdas en vihuela
la mano de su dueño, la caricia
diestra, que evoca los sonidos
diáfanos, haciendo dulcemente
de su poder latente, temblor, canto.

Vuelto hacia ti prosigues
el divagar enamorado
de lo que fue tal como ser debiera,
y así la vida pasas,
morador de entresueños,
por esas galerías
donde a la luz más bella hace la sombra
y donde a la memoria más pura hace el olvido.

Si morir fuera esto,
un recordar tranquilo de la vida,
un contemplar sereno de las cosas,
cuán dichosa la muerte,
rescatando el pasado
para soñarlo a solas cuando libre,
para pensarlo tal presente eterno,
como si un pensamiento valiese más que el mundo.

El poeta

La edad tienes ahora que él entonces,
cuando en el tiempo de la siembra y la danza,
hijos de anhelo moceril que se despierta,
tu sueño, tu esperanza, tu secreto,
aquellos versos fueron a sus manos
para mostrar y hallar signo de vida.

Mucho nos dicen, desde el pasado, voces
ilustres, ascendientes de la palabra nuestra,
y las de lengua extraña, cuyo acento
experiencia distinta nos revela. Mas las cosas,
el fuego, el mar, los árboles, los astros,
nuevas siempre aparecen.

Nuevas y arcanas, hasta que al fin traslucen
un día en la expresión de aquel poeta
vivo de nuestra lengua, en el contemporáneo
que infunde por nosotros,
con su obra, la fe, la certidumbre
maga de nuestro mundo visible e invisible.

Con reverencia y con amor así aprendiste,
aunque en torno los hombres no curen de la imagen
misteriosa y divina de las cosas,
de él, a mirar quieto, como
espejo, sin el cual la creación sería
ciega, hasta hallar su mirada en el poeta.

Aquel tiempo pasó, o tú pasaste,
agitando una estela temporal ilusoria,
adonde estaba él, cuando tenía
la misma edad que hoy tienes:
lo que su fe sabía y la tuya buscaba,
ahora has encontrado.

Agradécelo pues, que una palabra
amiga mucho vale
en nuestra soledad, en nuestro breve espacio
de vivos, y nadie sino tú puede decirle,
a aquel que te enseñara adónde y cómo crece:
gracias por la rosa del mundo.

Para el poeta hallarla es lo bastante,
e inútil el renombre u olvido de su obra,
cuando en ella un momento se unifican,
tal uno son amante, amor y amado,
los tres complementarios luego y antes dispersos:
el deseo, la rosa y la mirada.

El éxtasis

Tras el dolor, la angustia, el miedo,
como niño al umbral de estancia oscura,
será el ceder de la conciencia;
mas luego recobrada, la luz nueva
veré, y tú en ella erguido.

Sonreirán tus ojos,
desconocido y conocido, con encanto
de una rosa que es ella y recuerdo de otra rosa,
trayendo tu presencia el mundo nuevo
hasta mí, con el poder de un dios. Entonces

Miraré ese que yo sea,
para hallarle a la imagen de aquel mozo
a quien dijera adiós en tiempos
idos, su juventud intacta
de nuevo, esperando, creyendo, amando.

La hermosura que el haber vivido
pudo ser, unirá al alma
la muerte así, en un presente inmóvil,

como el fauno en su mármol extasiado
es uno con la música.

E iremos por el prado a las aguas, donde olvido,
sin gesto el gozo, muda la palabra,
vendrá desde tu labio hasta mi labio,
fundirá en una sombra nuestras sombras.

Las edades

Trágicamente extraños, desprendidos
desde su eternidad, entre los astros
libres del tiempo, así aparecen hoy
por los museos. Pálidos fantasmas
en concilio, convocados por el sueño,
sobre la escalinata polvorienta,
en el dintel de las columnas rotas,
vuelta irreal tanta hermosura aún viva.

Imaginados por un pueblo remoto,
de su temblor divino forma eran
(como la rosa es forma del deseo);
y en el bronce, en el marfil y el mármol,
presidiendo los actos de la vida,
de terror y de gozo solos dispensadores,
en perfección erguidos, iba a ellos,
con murmullo confuso, la palabra.

Un pueblo existe por su intuición de lo divino
y es voz del sino que halla eco en historia,
movido del ahinco indisoluble
de su tierra y su dios; así creando
con lo invisible lo visible,
con el sueño el acto, con el ánimo el gesto,
del existir dando razón el mito,
adonde nace, crece, engendra y muere.

Mas un pueblo al morir siente sus dioses
vulnerables también, lo divino y lo humano
sin magia ni virtud, de extraños luego presa
cuanto era de otros el centro y el contorno:
los trabajos del mar, y la labranza
del campo, y la paz del caserío;
lo que unido en los dioses es la vida
y desunido es apetencia de la muerte.

Ahora, así humillados en un gesto
ya ineficaz, se sobreviven
preciosos sin valor, como la concha
índica, de su perla despojada,
cuando lejos del abismo nativo
inerme yace a las injurias,
sólo presea de un niño o de un enamorado,
porque el iris cambiante le recuerda unos ojos.

La piedra cariada, el mármol corroído,
es descomposición del dios, segura
de consumarse bajo el aire, como
bajo la tierra la del hombre;
ambos, el dios y el hombre, iguales
ante el ultraje igual del azar y del tiempo
cuyo poder los rige, y aceptada
la humildad de perderse en el olvido.

En la penumbra polvorienta pasan hoy
seres grises; con ojos asombrados
miran sin ver aquellos cuerpos duros
orgullosos: el anca, el vientre, el lomo
de animales perfectos; los vestigios
del dios que fue, que exige serlo siempre;
y hostiles como extraños ofenden su agonía
con una admiración incrédula.

Cara joven

Ahora quisieras recordarte,
hablar lo mismo que solías
antes, de ligero y de breve,
por amor a esta faz tan niña.

Pero los tiempos ya son otros,
y tú otro del que creías
entonces. Sólo tu gozo
es el de siempre si la miras.

Como lluvia clara, conforta;
como sueño de amanecida,
alienta; sugiere posibles
e imposibles, como la vida.

La sombra

Al despertar de un sueño, buscas
tu juventud, como si fuera el cuerpo
del camarada que durmiese
a tu lado y que al alba no encuentras.

Ausencia conocida, nueva siempre,
con la cual no te hallas. Y aunque acaso
hoy tú seas más de lo que era
el mozo ido, todavía

Sin voz le llamas, cuántas veces;
olvidado que de su mocedad se alimentaba
aquella pena aguda, la conciencia
de tu vivir de ayer. Ahora,

Ida también, es sólo
un vago malestar, una inconsciencia
acallando el pasado, dejando indiferente
al otro que tú eres, sin pena, sin alivio.

Otros aires

A Concha de Albornoz

«¿Cómo serán los árboles aquellos?»,
preguntaste. Ahí los tienes:
aún desnudos, ya hermosos,
bajo del cielo vasto, por el llano y colinas
que ves a la ventana,
amigos nuevos en espera
de tu salida para andar contigo.

Allá, por el sendero
a la orilla del lago, en una fila,
álamos, arces, abedules,
contra las nubes claras
y libres, pueblan un horizonte
acogedor desde el primer instante,
en este fin de invierno hacia la primavera.

Extraño nada es, sino propicio
y familiar, aunque reciente
seas aquí; y entre esos troncos
hallas tu mundo fiel, que pide
confianza y amor de parte tuya
y ofrece de la suya
luz nueva y soledad inspiradora.

No mires atrás y sigue
hasta cuando permita el sino,
ahora que por los aires
una promesa, ¿oyes?,

acaso está sonando con las hojas nacientes,
su existencia, como la tuya,
en música escondida y revelada.

Escultura inacabada

(David-Apolo, de Miguel Angel)

Sorprendido, ah, sorprendido
desnudo, en una pausa,
por la selva remota,
traspuesto el tiempo.

Adherido a la tierra
todavía, al tronco
y a la roca, en la frontera
de infancia a mocedades.

Es el instante, el alba
pura del cuerpo,
en el secreto absorto
de lo que es virgen.

Reposo y movimiento
coinciden, ya en los brazos,
el sexo, flor no abierta,
o los muslos, arco de lira.

Por el dintel suspenso
de su propia existencia,
se mira ensimismado
y a sí se desconoce.

Dentro, en el pensamiento,
escucha a su destino,
caída la cabeza,
entornados los ojos.

Calla. Que no despierte,
cuando cae en el tiempo,
ya sus eternidades
perdidas hoy.

Mas tú mira, contempla
largo esa hermosura,
que la pasión ignora;
contempla, voz y llanto.

Fue amor quien la trajera,
amor, la sola fuerza humana,
desde el no ser, al sueño
donde latente asoma.

Para estar contigo

Sé que a solas, aburrido
de estar vivo y quedar muerto,
pasas el tiempo, o te pasa
el tiempo sin tú quererlo.

Pues el fuego no la anima
sino en lumbre pasajera,
entiende la paradoja
de tu existencia incompleta.

La luna es a veces clara,
el aire a veces es tibio,
el cuerpo joven tan puro
como siempre, y tan perdido.

El sino te lleva, y puedes,
si así lo quieres, pararle,
cuando seguir cansa. Entonces
eres dueño en lo que vale.

Luego la vejez alcanza,
y con ella ese recelo
de una falla, ajena o tuya,
en el cielo ya completo.

No digas que no esperabas
todo ello en el principio,
y acepta, como si iguales,
lo esperado y lo vivido.

Viendo volver

Irías, y verías
todo igual, cambiado todo,
así como tú eres
el mismo y otro. ¿Un río
a cada instante
no es él y diferente?

Irías, en apariencia
distraído y aburrido
en secreto, mirando,
pues el mirar es sólo
la forma en que persiste
el antiguo deseo.

Mirando, estimarías
(la mirada acaricia
fijándose o desdeña
apartándose) irreparable todo
ya, y perdido, o ganado
acaso, quién lo sabe.

Así, con pasmo indiferente,
como llevado de una mano,

llegarías al mundo
que fue tuyo otro tiempo,
y allí le encontrarías,
al tú de ayer, que es otro hoy.

Impotente, extasiado
y solo, como un árbol,
le verías, el futuro
soñando, sin presente,
a espera del amigo,
cuando el amigo es él y en él le espera.

Al verle, tú querrías
irte, ajeno entonces,
sin nada que decirle,
pensando que la vida
era una burla delicada,
y que debe ignorarlo el mozo hoy.

De *Con las horas contadas*
[1950-1956]

Nocturno yanqui

La lámpara y la cortina
al pueblo en su sombra excluyen.
Sueña ahora,
si puedes, si te contentas
con sueños, cuando te faltan
realidades.

Estás aquí, de regreso
del mundo, ayer vivo, hoy
cuerpo en pena,
esperando locamente,
alrededor tuyo, amigos
y sus voces.

Callas y escuchas. No. Nada
oyes, excepto tu sangre,
su latido
incansable, temeroso;
y atención prestas a otra
cosa inquieta.

Es la madera, que cruje;
es el radiador, que silba.
Un bostezo.
Pausa. Y el reloj consultas:
todavía temprano para
acostarte.

Tomas un libro. Mas piensas
que has leído demasiado
con los ojos,
y a tus años la lectura
mejor es recuerdo de unos
libros viejos,
pero con nuevo sentido.

¿Qué hacer? Porque tiempo hay.
Es temprano.
Todo el invierno te espera,
y la primavera entonces.
Tiempo tienes.

¿Mucho? ¿Cuánto? ¿Y hasta cuándo
el tiempo al hombre le dura?
«No, que es tarde,
es tarde», repite alguno
dentro de ti, que no eres.
Y suspiras.

La vida en tiempo se vive,
tu eternidad es ahora,
porque luego
no habrá tiempo para nada
tuyo. Gana tiempo. ¿Y cuándo?

Alguien dijo:
«El tiempo y yo para otros
dos». ¿Cuáles dos? ¿Dos lectores
de mañana?
Mas tus lectores, si nacen,
y tu tiempo, no coinciden.

Estás solo
frente al tiempo, con tu vida
sin vivir.

Remordimiento.
Fuiste joven,
pero nunca lo supiste
hasta hoy, que el ave ha huido
de tu mano.

La mocedad dentro duele,
tú su presa vengadora,
conociendo
que, pues no le va esta cara
ni el pelo blanco, es inútil
por tardía.

El trabajo alivia a otros
de lo que no tiene cura,
según dicen.
¿Cuántos años ahora tienes
de trabajo? ¿Veinte y pico
mal contados?

Trabajo fue que no compra
para ti la independencia
relativa.
A otro menester el mundo,
generoso como siempre,
te demanda.

Y profesas pues, ganando
tu vida, no con esfuerzo,
con fastidio.
Nadie enseña lo que importa,
que eso ha de aprenderlo el hombre
por sí solo.

Lo mejor que has sido, diste,
lo mejor de tu existencia,

a una sombra:
al afán de hacerte digno,
al deseo de excederte,
esperando
siempre mañana otro día
que, aunque tarde, justifique
tu pretexto.

Cierto que tú te esforzaste
por sino y amor de una
criatura,
mito moceril, buscando
desde siempre, y al servirla,
ser quien eres.

Y al que eras le has hallado.
¿Mas es la verdad del hombre
para él solo,
como un inútil secreto?
¿Por qué no poner la vida
a otra cosa?

Quien eres, tu vida era;
uno sin otro no sois,
tú lo sabes.
Y es fuerza seguir, entonces,
aun el miraje perdido,
hasta el día
que la historia se termine,
para ti al menos.

Y piensas
que así vuelves
donde estabas al comienzo
del soliloquio: consigo
y sin nadie.

Mata la luz, y a la cama.

Versos para ti mismo

La noche y el camino. Mientras,
la cabeza recostada en tu hombro,
el cabello suave a flor de tu mejilla,
su cuerpo duerme o sueña acaso.

No. Eres tú quien sueña solo
aquel efecto noble compartido,
cuyos ecos despiertan por tu mente desierta
como en la concha los del mar que ya no existe.

El viajero

Eres tú quien respira
este cálido aire
nocturno, entre las hojas
perennes. ¿No te extraña

Ir así, en el halago
de otro clima? Parece
maravilla imposible
estar tan libre. Mira

Desde una palma oscura
gotear las estrellas.
Lo que ves ¿es tu sueño
o tu verdad? El mundo

Mágico que llevabas
dentro de ti, esperando
tan largamente, afuera
surge a la luz. Si ahora

Tu sueño al fin coincide
con tu verdad, no pienses
que esta verdad es frágil,
más aún que aquel sueño.

País

Tus ojos son de donde
la nieve no ha manchado
la luz, y entre las palmas
el aire
invisible es de claro.

Tu deseo es de donde
a los cuerpos se alía
lo animal con la gracia
secreta
de mirada y sonrisa.

Tu existir es de donde
percibe el pensamiento,
por la arena de mares
amigos,
la eternidad en tiempo.

Limbo

A Octavio Paz

La plaza sola (gris el aire,
negros los árboles, la tierra
manchada por la nieve),
parecía, no realidad, mas copia
triste sin realidad. Entonces,

ante el umbral, dijiste:
viviendo aquí serías
fantasma de ti mismo.

Inhóspita en su adorno
parsimonioso, porcelanas, bronces,
muebles chinos, la casa
oscura toda era,
pálidas sus ventanas sobre el río,
y el color se escondía
en un retablo español, en un lienzo
francés, su brío amedrentado.

Entre aquellos despojos,
provecto, el dueño estaba
sentado junto a su retrato
por artista a la moda en años idos,
imagen fatua y fácil
del *dilettante,* divertido entonces
comprando lo que una fe creara
en otro tiempo y otra tierra.

Allí con sus iguales,
damas imperativas bajo sus afeites,
caballeros seguros de sí mismos,
rito social cumplía,
y entre el diálogo moroso,
tú oyendo alguien que dijo: «Me ofrecieron
la primera edición de un poeta raro,
y la he comprado», tu emoción callaste.

Así, pensabas, el poeta
vive para esto, para esto
noches y días amargos, sin ayuda
de nadie, en la contienda
adonde, como el fénix, muere y nace,
para que años después, siglos
después, obtenga al fin el displicente
favor de un grande en este mundo.

Su vida ya puede excusarse,
porque ha muerto del todo;
su trabajo ahora cuenta,
domesticado para el mundo de ellos,
como otro objeto vano,
otro ornamento inútil;
y tú cobarde, mudo
te despediste ahí, como el que asiente,
más allá de la muerte, a la injusticia.

Mejor la destrucción, el fuego.

Soledades

¿Para qué dejas tus versos,
por muy poco que ellos valgan,
a gente que vale menos?

Tú mismo, que así lo dices,
vales menos que ninguno,
cuando a callar no aprendiste.

Palabras que van al aire,
adonde si un eco encuentran
repite lo que no sabe.

Nochebuena cincuenta y una

Amor, dios oscuro,
que a nosotros viene
otra vez, probando
su esperanza siempre.

Ha nacido. El frío,
la sombra, la muerte,
todo el desamparo
humano es su suerte.

Desamparo humano
que el amor no puede
ayudar. ¿Podría
él, cuando tan débil

Contra nuestro engaño
su fuerza se vuelve,
siendo sólo aliento
de bestia inocente?

Velad pues, pastores;
adorad pues, reyes,
su sueño amoroso
que el mundo escarnece.

Poemas para un cuerpo

I. Salvador

Sálvale o condénale,
porque ya su destino
está en tus manos, abolido.

Si eres salvador, sálvale
de ti y de él; la violencia
de no ser uno en ti, aquiétala.

O si no lo eres, condénale,
para que a su deseo
suceda otro tormento.

Sálvale o condénale,
pero así no le dejes
seguir vivo, y perderte.

II. Despedida

La calle, sola a medianoche,
doblaba en eco vuestro paso.
Llegados a la esquina fue el momento;
arma presta, el espacio.

Eras tú quien partía,
fuiste primero tú el que rompiste,
así el ánima rompe sola,
con terror a ser libre.

Y entró la noche en ti, materia tuya
su vastedad desierta,
desnudo ya del cuerpo tan amigo
que contigo uno era.

III. Para ti, para nadie

Pues no basta el recuerdo,
cuando aún queda tiempo,

alguno que se aleja
vuelve atrás la cabeza,

o aquel que ya se ha ido,
en algo posesivo,

una carta, un retrato,
los materiales rasgos

busca, la fiel presencia
con realidad terrena,

y yo, este Luis Cernuda
incógnito, que dura

tan sólo un breve espacio
de amor esperanzado,

antes que el plazo acabe
de vivir, a tu imagen

tan querida me vuelvo
aquí, en el pensamiento,

y aunque tú no has de verlas,
para hablar con tu ausencia

estas líneas escribo
únicamente por estar contigo.

IV. Sombra de mí

Bien sé yo que esta imagen
fija siempre en la mente
no eres tú, sino sombra
del amor que en mí existe
antes que el tiempo acabe.

Mi amor así visible me pareces,
por mí dotado de esa gracia misma
que me hace sufrir, llorar, desesperarme
de todo a veces, mientras otras
me levanta hasta el cielo en nuestra vida,
sintiendo las dulzuras que se guardan
sólo a los elegidos tras el mundo.

Y aunque conozco eso, luego pienso
que sin ti, sin el raro
pretexto que me diste,
mi amor, que afuera está con su ternura,
allá dentro de mí hoy seguiría
dormido todavía y a la espera
de alguien que, a su llamada,
le hiciera al fin latir gozosamente.

Entonces te doy gracias y te digo:
para esto vine al mundo, y a esperarte;
para vivir por ti, como tú vives
por mi, aunque no lo sepas,
por este amor tan hondo que te tengo.

V. El amante espera

Y cuánto te importuno,
Señor, rogándote me vuelvas
lo perdido, ya otras veces perdido
y por ti recobrado para mí, que parece
imposible guardarlo.

Nuevamente
llamo a tu compasión, pues es la sola
cosa que quiero bien, y tú la sola
ayuda con que cuento.

Mas rogándote
así, conozco que es pecado,
ocasión de pecar lo que te pido,
y aún no guardo silencio,
ni me resigno al fin a la renuncia.

Tantos años vividos
en soledad y hastío, en hastío y pobreza,
trajeron tras de ellos esta dicha,
tan honda para mí, que así ya puedo
justificar con ella lo pasado.

Por eso insisto aún, Señor, por eso vengo
de nuevo a ti, temiendo y aun seguro
de que si soy blasfemo me perdones:
devuélveme, Señor, lo que he perdido,
el solo ser por quien vivir deseo.

VI. Después de hablar

No sabes guardar silencio
con tu amor. ¿Es que le importa
a los otros? Pues gozaste
callado, callado ahora

Sufre, pero nada digas.
Es el amor de una esencia
que se corrompe al hablarlo:
en el silencio se engendra,

Por el silencio se nutre
y con silencio se abre
como una flor. No lo digas;
súfrelo en ti, pero cállate.

Si va a morir, con él muere;
si va a vivir, con él vive.
Entre muerte y vida, calla,
porque testigos no admite.

VII. Haciéndose tarde

Entre los últimos brotes
la rosa no se ve rara,
ni la alondra al levantarse
atiende a que el sol retrasa,
o el racimo ya tardío
cuida si es mustia la parra.
Pero tu cariño nuevo
la estación piensa acabada.

Pues la alondra con su canto
siempre puebla la mañana
y la rosa y el racimo
siempre llenan la mirada,
entonces, deja, no pienses
en que es tarde. ¿Hubo tardanza

jamás para olor y zumo
o el revuelo de algún ala?

Fuerza las puertas del tiempo,
amor que tan tarde llamas.

VIII. Viviendo sueños

Tantos años que pasaron
con mis soledades solo
y hoy tú duermes a mi lado.

Son los caprichos del sino,
aunque con sus circunloquios
cuánto tiempo no he perdido.

Mas ahora en fin llegaste
de su mano, y aún no creo,
despierto en el sueño, hallarte.

Oscura como la lluvia
es tu existencia, y tus ojos,
aunque dan luz, es oscura.

Pero de mí qué sería
sin este pretexto tuyo
que acompaña así la vida.

Miro y busco por la tierra:
nada hay en ella que valga
lo que tu sola presencia.

Cuando le parezca a alguno
que entre lo mucho divago,
poco de cariño supo.

Lo raro es que al mismo tiempo
conozco que tú no existes
fuera de mi pensamiento.

IX. De dónde vienes

Si alguna vez te oigo
hablar de padre, madre, hermanos,
mi imaginar no vence a la extrañeza
de que sea tu existir originado en otros,
en otros repetido,
cuando único me parece,
creado por mi amor; igual al árbol,
a la nube o al agua
que están ahí, mas nuestros
son y vienen de nosotros
porque una vez les vimos
como jamás les viera nadie antes.

Un puro conocer te dio la vida.

X. Contigo

¿Mi tierra?
Mi tierra eres tú.

¿Mi gente?
Mi gente eres tú.

El destierro y la muerte
para mi están adonde
no estés tú.

¿Y mi vida?
Dime, mi vida,
¿qué es, si no eres tú?

XI. El amante divaga

Acaso en el infierno el tiempo tenga
la ficción de medida que le damos
aquí, o acaso tenga aquella desmesura
de momentos preciosos en la vida.
No sé. Mas allá el tiempo, según dicen,
marcha hacia atrás, para irnos desviviendo.

Así esta historia nuestra, mía y tuya
(mejor será decir nada más mía,
aunque a tu parte queden la ocasión y el motivo,
que no es poco), otra vez viviremos
tú y yo (o viviré yo sólo),
de su fin al comienzo.

Extraño será entonces
pasar de los principios del olvido
a aquel fervor iluso, cuando todo
se animaba por ti, porque vivías,
y de ahí a la ignorancia
de ti, anterior a nuestro hallazgo.

Pero en infiernos, de ese modo,
dejaría de creer, y al mismo tiempo
la idea de paraísos desechara;
infierno y paraíso,
¿no serán cosa nuestra, de esta vida
terrena a la que estamos hechos y es bastante?

Infierno y paraíso
los creamos aquí, con nuestros actos
donde el amor y el odio brotan juntos,
animando el vivir. Y yo no quiero
vida en la cual ya tú no tengas parte:
olvido de ti, sí, mas no ignorancia tuya.

El camino que sube
y el camino que baja
uno y el mismo son; y mi deseo
es que al fin de uno y de otro,

con odio o con amor, con olvido o memoria,
tu existir esté allí, mi infierno y paraíso.

XII. La vida

Como cuando el sol enciende
algún rincón de la tierra,
su pobreza la redime,
con risas verdes lo llena,

Así tu presencia viene
sobre mi existencia oscura
a exaltarla, para darle
esplendor, gozo, hermosura.

Pero también tú te pones
lo mismo que el sol, y crecen
en torno mío las sombras
de soledad, vejez, muerte.

XIII. Fin de la apariencia

Sin querer has deshecho
cuanto mi vida era,
menos el centro inmóvil
del existir: la hondura
fatal e insobornable.

Muchas veces temía
en mí y deseaba
el fin de esa apariencia
que da valor al hombre
para el hombre en el mundo.

Pero si deshiciste
todo lo en mí prestado,
me das así otra vida;

y como ser primero
inocente, estoy solo
con mi mismo y contigo.

Aquel que da la vida,
la muerte da con ella.
Desasido del mundo
por tu amor, me dejaste
con mi vida y mi muerte.

Morir parece fácil,
la vida es lo difícil:
ya no sé sino usarla
en ti, con este inútil
trabajo de quererte,
que tú no necesitas.

XIV. Precio de un cuerpo

Cuando algún cuerpo hermoso,
como el tuyo, nos lleva
tras de sí, él mismo no comprende,
sólo el amante y el amor lo saben.
(Amor, terror de soledad humana.)

Esta humillante servidumbre,
necesidad de gastar la ternura
en un ser que llenamos
con nuestro pensamiento,
vivo de nuestra vida.

El da el motivo,
lo diste tú; porque tú existes
afuera como sombra de algo,
una sombra perfecta
de aquel afán, que es del amante, mío.

Si yo te hablase
cómo el amor depara
su razón al vivir y su locura,
tú no comprenderías.
Por eso nada digo.

La hermosura, inconsciente
de su propia celada, cobró la presa
y sigue. Así, por cada instante
de goce, el precio está pagado:
este infierno de angustia y de deseo.

XV. Divinidad celosa

Los cuatro elementos primarios
dan forma a mi existir:
un cuerpo sometido al tiempo,
siempre ansioso de ti.

Porque el tiempo de amor nos vale
toda una eternidad
donde ya el hombre no va solo.
Y Dios celoso está.

Déjame amarte ahora. Un día,
temprano o tarde, Dios
dispone que el amante deba
renunciar a su amor.

XVI. Un hombre con su amor

Si todo fuera dicho
y entre tú y yo la cuenta
se saldara, aún tendría
con tu cuerpo una deuda.

Pues ¿quién pondría precio
a esta paz, olvidado
en ti, que al fin conocen
mis labios por tus labios?

En tregua con la vida,
no saber, querer nada,
ni esperar: tu presencia
y mi amor. Eso basta.

Tú y mi amor, mientras miro
dormir tu cuerpo cuando
amanece. Así mira
un dios lo que ha creado.

Mas mi amor nada puede
sin que tu cuerpo acceda:
el sólo informa un mito
en tu hermosa materia.

De *Desolación de la quimera* [1956-1962]

Mozart [1756-1956]

I

Si alguno alguna vez te preguntase:
«La música, ¿qué es?» «Mozart», dirías,
«es la música misma.» Sí, el cuerpo entero
de la armonía impalpable e invisible,
pero del cual oímos su paso susurrante
de linfa, con el frescor que dan lunas y auroras,
en cascadas creciendo, en ríos caudalosos.

Desde la tierra mítica de Grecia
llegó hasta el norte el soplo que la anima
y en el norte halló eco, entre las voces
de poetas, filósofos y músicos: ciencia
del ver, ciencia del saber, ciencia del oír. Mozart
es la gloria de Europa, el ejemplo más alto
de la gloria del mundo, porque Europa es el mundo.

Cuando vivió, entreoído en las cortes,
los palacios, donde príncipes y prelados
poder, riqueza detentaban nulos,
Mozart entretenía, como siempre ocurre,

como es fatal que ocurra al genio, aunque ya toque
a su cenit. Cuando murió, supieron todos:
cómo admiran las gentes al genio una vez muerto.

II

De su tiempo es su genio, y del nuestro, y de siempre.
Nítido el tema, preciso el desarrollo,
un ala y otra ala son, que reposadas
por el círculo oscuro de los instrumentistas,
arpa, violín, flauta, piano, luego a otro
firmamento más glorioso y más fresco
desplegasen súbitamente en música.

Toda razón su obra, pero sirviendo toda
imaginación, en sí gracia y majestad une,
ironía y pasión, hondura y ligereza.
Su arquitectura deshelada, formas líquidas
da de esplendor inexplicable, y así traza
vergeles encantados, mágicos alcázares,
fluidos bajo un frío rielar de estrellas.

Su canto, la mocedad toda en él lo canta:
ya mano que acaricia o ya garra que hiere,
arrullo tierno en sarcasmo de sí mismo,
es (como ante el ceño de la muerte
los juegos del amor, el dulce monstruo rubio)
burla de la pasión, que nunca halla respuesta,
sabiendo su poder y su fracaso eterno.

III

En cualquier urbe oscura, donde amortaja el humo
al sueño de un vivir urdido en la costumbre
y el trabajo no da libertad ni esperanza,
aún queda la sala del concierto, aún puede el hombre
dejar que su mente humillada se ennoblezca
con la armonía sin par, el arte inmaculado
de esta voz de la música que es Mozart.

Si de manos de Dios informe salió el mundo,
trastornado su orden, su injusticia terrible;
si la vida es abyecta y ruin el hombre,
da esta música al mundo forma, orden, justicia,
nobleza y hermosura. Su salvador entonces,
¿quién es? Su redentor, ¿quién es entonces?
Ningún pecado en él, ni martirio, ni sangre.

Voz más divina que otra alguna, humana
al mismo tiempo, podemos siempre oírla,
dejarla que despierte sueños idos
del ser que fuimos y al vivir matamos.
Sí, el hombre pasa, pero su voz perdura,
nocturno ruiseñor o alondra mañanera,
sonando en las ruinas del cielo de los dioses.

Birds in the night

El gobierno francés, ¿o fue el gobierno inglés?, puso una lápida
en esa casa de 8 Great College Street, Camden Town, Londres,
adonde en una habitación Rimbaud y Verlaine, rara pareja,
vivieron, bebieron, trabajaron, fornicaron,
durante algunas breves semanas tormentosas.
Al acto inaugural asistieron sin duda embajador y alcalde,
todos aquellos que fueran enemigos de Verlaine y Rimbaud cuando vivían.

La casa es triste y pobre, como el barrio,
con la tristeza sórdida que va con lo que es pobre,
no la tristeza funeral de lo que es rico sin espíritu.
Cuando la tarde cae, como en el tiempo de ellos,
sobre su acera, húmedo y gris el aire, un organillo
suena, y los vecinos, de vuelta del trabajo,
bailan unos, los jóvenes, los otros van a la taberna.

Corta fue la amistad singular de Verlaine el borracho
y de Rimbaud el golfo, querellándose largamente.
Mas podemos pensar que acaso un buen instante
hubo para los dos, al menos si recordaba cada uno
que dejaron atrás la madre inaguantable y la aburrida
esposa.
Pero la libertad no es de este mundo, y los libertos
en ruptura con todo, tuvieron que pagarla a precio alto.

Sí, estuvieron ahí, la lápida lo dice, tras el muro,
presos de su destino: la amistad imposible, la amargura
de la separación, el escándalo luego; y para éste
el proceso, la cárcel por dos años, gracias a sus costumbres
que sociedad y ley condenan, hoy al menos; para aquél
a solas
errar desde un rincón a otro de la tierra,
huyendo a nuestro mundo y su progreso renombrado.

El silencio del uno y la locuacidad banal del otro
se compensaron. Rimbaud rechazó la mano que oprimía
su vida; Verlaine la besa, aceptando su castigo.
Uno arrastra en el cinto el oro que ha ganado; el otro
lo malgasta en ajenjo y mujerzuelas. Pero ambos
en entredicho siempre de las autoridades, de la gente
que con trabajo ajeno se enriquece y triunfa.

Entonces hasta la negra prostituta tenía derecho de insultarles;
hoy, como el tiempo ha pasado, como pasa en el mundo,
vida al margen de todo, sodomía, borrachera, versos escarnecidos,
ya no importan en ellos, y Francia usa de ambos nombres
y ambas obras
para mayor gloria de Francia y su arte lógico.
Sus actos y sus pasos se investigan, dando al público
detalles íntimos de sus vidas. Nadie se asusta ahora, ni
protesta.

«¿Verlaine? Vaya, amigo mío, un sátiro, un verdadero sátiro
cuando de la mujer se trata; bien normal era el hombre,
igual que usted y que yo. ¿Rimbaud? Católico sincero, como está demostrado.»
Y se recitan trozos del «Barco Ebrio» y del soneto a las «Vocales».
Mas de Verlaine no se recita nada, porque no está de moda
como el otro, del que se lanzan textos falsos en edición de lujo;
poetas mozos de todos los países hablan mucho de él en sus provincias.

¿Oyen los muertos lo que los vivos dicen luego de ellos?
Ojalá nada oigan: ha de ser un alivio ese silencio interminable
para aquellos que vivieron por la palabra y murieron por ella,
como Rimbaud y Verlaine. Pero el silencio allá no evita
acá la farsa elogiosa repugnante. Alguna vez deseó uno
que la humanidad tuviese una sola cabeza, para así cortársela.
Tal vez exageraba: si fuera sólo una cucaracha, y aplastarla.

Ninfa y pastor, *por Ticiano*

Lo que mueve al santo,
la renuncia del santo
(niega tus deseos
y hallarás entonces
lo que tu corazón desea),
son sobrehumanos. Ahí te inclinas, y pasas.
Porque algunos nacieron para santos
y otros para ser hombres.

Acaso cerca de dejar la vida,
de nada arrepentido y siempre enamorado,
y con pasión que no desmienta a la primera,
quisieras, como aquel pintor viejo,
una vez más representar la forma humana,
hablando silencioso con ciencia ya admirable.

El cuadro aquel aún miras,
ya no en su realidad, en la memoria;
la ninfa desnuda y reclinada
y a su lado el pastor, absorto todo
de carnal hermosura.
El fondo neutro, insinuado
por el pincel apenas.

La luz entera mana
del cuerpo de la ninfa, que es el centro
del lienzo, su razón y su gozo;
la huella creadora fresca en él todavía,
la huella de los dedos enamorados
que, bajo su caricia, lo animaran
con candor animal y con gracia terrestre.

Desnuda y reclinada, contemplemos
esa curva adorable, base de la espalda,
donde el pintor se demoró, usando con ternura
diestra, no el pincel, mas los dedos,
con ahinco de amor y de trabajo
que son un acto solo, la cifra de una vida
perfecta al acabar, igual que el sol a veces
demora su esplendor cercano del ocaso.

Y cuánto había amado, había vivido,
había pintado cuando pintó ese cuerpo:
cerca de los cien años prodigiosos;
mas su fervor humano, agradecido al mundo,
inocente aún era en él, como en el mozo
destinado a ser hombre sólo y para siempre.

Díptico español

A Carlos Otero

I. Es lástima que fuera mi tierra

Cuando allá dicen unos
que mis versos nacieron
de la separación y la nostalgia
por la que fue mi tierra,
¿sólo la más remota oyen entre mis voces?
Hablan en el poeta voces varias:
escuchemos su coro concertado,
adonde la creída dominante
es tan sólo una voz entre las otras.

Lo que el espíritu del hombre
ganó para el espíritu del hombre
a través de los siglos,
es patrimonio nuestro y es herencia
de los hombres futuros.
Al tolerar que nos lo nieguen
y secuestren, el hombre entonces baja,
¿y cuánto?, en esa escala dura
que desde el animal llega hasta el hombre.

Así ocurre en tu tierra, la tierra de los muertos,
adonde ahora todo nace muerto,
vive muerto y muere muerto;
pertinaz pesadilla: procesión ponderosa
con restaurados restos y reliquias,
a la que dan escolta hábitos y uniformes,
en medio del silencio: todos mudos,
desolados del desorden endémico
que el temor, sin domarlo, así doblega.

La vida siempre obtiene
revancha contra quienes la negaron:
la historia de mi tierra fue actuada
por enemigos enconados de la vida.

El daño no es de ayer, ni tampoco de ahora,
sino de siempre. Por eso es hoy
la existencia española, llegada al paroxismo,
estúpida y cruel como su fiesta de los toros.

Un pueblo sin razón, adoctrinado desde antiguo
en creer que la razón de soberbia adolece
y ante el cual se grita impune:
muera la inteligencia, predestinado estaba
a acabar adorando las cadenas
y que ese culto obsceno le trajese
adonde hoy le vemos: en cadenas,
sin alegría, libertad ni pensamiento.

Si yo soy español, lo soy
a la manera de aquellos que no pueden
ser otra cosa: y entre todas las cargas
que, al nacer yo, el destino pusiera
sobre mí, ha sido ésa la más dura.
No he cambiado de tierra,
porque no es posible a quien su lengua une,
hasta la muerte, al menester de poesía.

La poesía habla en nosotros
la misma lengua con que hablaron antes,
y mucho antes de nacer nosotros,
las gentes en que hallara raíz nuestra existencia;
no es el poeta sólo quien ahí habla,
sino las bocas mudas de los suyos
a quienes él da voz y les libera.

¿Puede cambiarse eso? Poeta alguno
su tradición escoge, ni su tierra,
ni tampoco su lengua; él las sirve,
fielmente si es posible.
Mas la fidelidad más alta
es para su conciencia; y yo a ésa sirvo
pues, sirviéndola, así a la poesía
al mismo tiempo sirvo.

Soy español sin ganas
que vive como puede bien lejos de su tierra
sin pesar ni nostalgia. He aprendido
el oficio de hombre duramente,
por eso en él puse mi fe. Tanto que prefiero
no volver a una tierra cuya fe, si una tiene, dejó de ser
la mía,
cuyas maneras rara vez me fueron propias,
cuyo recuerdo tan hostil se me ha vuelto
y de la cual ausencia y tiempo me extrañaron.

No hablo para quienes una burla del destino
compatriotas míos hiciera, sino que hablo a solas
(quien habla a solas espera hablar a Dios un día)
o para aquellos pocos que me escuchen
con bien dispuesto entendimiento.
Aquellos que como yo respeten
el albedrío libre humano
disponiendo la vida que hoy es nuestra,
diciendo el pensamiento al que alimenta nuestra vida.

¿Qué herencia sino ésa recibimos?
¿Qué herencia sino ésa dejaremos?

II. Bien está que fuera tu tierra

Su amigo, ¿desde cuándo lo fuiste?
¿Tenías once, diez años al descubrir sus libros?
Niño eras cuando un día
en el estante de los libros paternos
hallaste aquéllos. Abriste uno
y las estampas tu atención fijaron;
las páginas a leer comenzaste
curioso de la historia así ilustrada.

Y cruzaste el umbral de un mundo mágico,
la otra realidad que está tras ésta:
Gabriel, Inés, Amaranta,
Soledad, Salvador, Genara,

con tantos personajes creados para siempre
por su genio generoso y poderoso.
Que otra España componen,
entraron en tu vida
para no salir de ella ya sino contigo.

Más vivos que las otras criaturas
junto a ti tan pálidas pasando,
tu amor primero lo despertaron ellos;
héroes amados en un mundo heroico,
la red de tu vivir entretejieron con la suya,
aún más con la de aquellos tus hermanos,
Miss Fly, Santorcaz, Tilín, Lord Gray,
que, insatisfechos siempre, contemplabas
existir en la busca de un imposible sueño vivo.

El destino del niño esos lo provocaron
hasta que deseó ser como ellos,
vivir igual que ellos
y, como a Salvador, que le moviera
idéntica razón, idéntica locura,
el seguir turbulento, devoto a sus propósitos,
en su tierra y afuera de su tierra,
tantas quimeras desoladas
con fe que a decepción nunca cedía.

Y tras el mundo de los Episodios
luego el de las Novelas conociste:
Rosalía, Eloísa, Fortunata,
Mauricia, Federico Viera,
Martín Muriel, Moreno Isla,
tantos que habrían de revelarte
el escondido drama de un vivir cotidiano:
la plácida existencia real y, bajo ella,
el humano tormento, la paradoja de estar vivo.

Los bien amados libros, releyéndolos
cuántas veces, de niño, mozo y hombre.
Cada vez más en su secreto te adentrabas

y los hallabas renovados
como tu vida iba renovándose;
con ojos nuevos los veías,
como ibas viendo el mundo.
Qué pocos libros pueden
nuevo alimento darnos
a cada estación nueva en nuestra vida.

En tu tierra y afuera de tu tierra
siempre traían fielmente
el encanto de España, en ellos no perdido,
aunque en tu tierra misma no lo hallaras.
El nombre allí leído de un lugar, de una calle
(Portillo de Gilimón o Sal si Puedes),
provocaba en ti la nostalgia
de la patria imposible, que no es de este mundo.

El nombre de ciudad, de barrio o pueblo,
por todo el español espacio soleado
(Puerta de Tierra, Plaza de Santa Cruz, los Arapiles,
Cádiz, Toledo, Aranjuez, Gerona),
dicho por él, siempre traía,
una doble visión: imaginada y contemplada
conocido por ti el lugar o desconocido,
ambas hermosas, ambas entrañables.

Hoy, cuando a tu tierra ya no necesitas,
aún en estos libros te es querida y necesaria,
más real y entresoñada que la otra:
no ésa, mas aquélla es hoy tu tierra,
la que Galdós a conocer te diese,
como él tolerante de lealtad contraria,
según la tradición generosa de Cervantes,
heroica viviendo, heroica luchando
por el futuro que era el suyo,
no el siniestro pasado donde a la otra han vuelto.

La real para ti no es esa España obscena y deprimente
en la que regentea hoy la canalla,
sino esta España viva y siempre noble

que Galdós en sus libros ha creado.
De aquélla nos consuela y cura ésta.

Dos de noviembre

Las campanas hoy
ominosas suenan.
Aún temprano, el aire,
frío acero, llega

por tu sangre adentro.
recuerdas los tuyos
idos este año
dejándote único.

Ahora tú sostienes
solo la memoria:
el hogar remoto,
familiares sombras.

Todo destinado
contigo al olvido.
El azul del cielo
promete, tan limpio,

aire tibio luego.
Y por el mercado,
donde están las flores
en copiosos ramos,

Un olor respiras,
olor, mas no aroma,
a tierra, a hermosura
que, antigua, conforta.

A pesar del tiempo,
al alma, en la vida,

materia y sentidos
como siempre alivian.

Luis de Baviera escucha Lohengrin

Sólo dos tonos rompen la penumbra:
destellar de algún oro y estridencia granate.
Al fondo luce la caverna mágica
donde unas criaturas, ¿de qué naturaleza?, pasan
melodiosas, manando de sus voces música
que con fuente escondida, lenta fluye
o, crespa luego, su caudal agita
estremeciendo el aire fulvo de la cueva
y con iris perlado riela en notas.

Sombras la sala de auditorio nulo.
En el palco real un elfo solo asiste
al festejo del cual razón parece dar y enigma:
negro pelo, ojos sombríos que contemplan
la gruta luminosa, en pasmo friolento
esculpido. La pelliza de martas le agasaja
abierta a una blancura, a seda que se anuda en lazo.
Los ojos entornados escuchan, beben la melodía
como una tierra seca absorbe el don del agua.

Asiste a doble fiesta: una exterior, aquella
de que es testigo: otra interior allá en su mente,
donde ambas se funden (como color y forma
se funden en un cuerpo), componen una misma delicia.
Así, razón y enigma, el poder le permite
a solas escuchar las voces a su orden concertadas,
el brotar melodioso que le acuna y nutre
los sueños, mientras la escena desarrolla,
ascua litúrgica, una amada leyenda.

Ni existe el mundo, ni la presencia humana
interrumpe el encanto de reinar en sueños.

Pero mañana, chambelán, consejero, ministro,
volverán con demandas estúpidas al rey:
que gobierne por fin, les oiga y les atienda.
¿Gobernar? ¿Quién gobierna en el mundo de los sueños?
¿Cuándo llegará el día en que gobiernen los lacayos?
Se interpondrá un biombo, benéfico, entre el rey y sus
ministros.
Un elfo corre libre los bosques, bebe el aire.

Esa es su vida, y trata fielmente de vivirla:
que le dejen vivirla. No en la ciudad, el nido
ya está sobre las cimas nevadas de las sierras
más altas de su reino. Carretela, trineo,
por las sendas: flotilla nívea, por los ríos y lagos,
le esperan siempre, prestos a levantarle
adonde vive su reino verdadero, que no es de este mundo:
donde el sueño le espera, donde la soledad le aguarda.
Donde la soledad y el sueño le ciñen su única corona.

Mas la presencia humana es a veces encanto,
encanto imperioso que el rey mismo conoce
y sufre con tormento inefable: el bisel de una boca,
unos ojos profundos, una piel soleada,
gracia de un cuerpo joven. El lo conoce,
Sí, lo ha conocido, y cuántas veces padecido,
el imperio que ejerce la criatura joven,
obrando sobre él, dejándole indefenso,
ya no rey, sino siervo de la humana hermosura.

Flotando sobre música el sueño ahora se encarna:
mancebo todo blanco, rubio, hermoso, que llega
hacia él y que es él mismo. ¿Magia o espejismo?
¿Es posible a la música dar forma, ser forma de mortal
alguno?
¿Cuál de los dos es él, o no es él, acaso, ambos?
El rey no puede, ni aun pudiendo quiere dividirse a sí
del otro.
Sobre la música inclinado, como extraño contempla
con emoción gemela su imagen desdoblada
y en éxtasis de amor y melodía queda suspenso.

El es el otro, desconocido hermano cuyo existir jamás
creyera
ver algún día. Ahora ahí está y en él ya ama
aquello que en él mismo pretendieron amar otros.
Con su canto le llama y le seduce. Pero, ¿puede
consigo mismo unirse? Teme que, si respira, el sueño
escape.
Luego un terror le invade: ¿no muere aquel que ve a
su doble?
La fuerza del amor, bien despierto ya en él, alza su
escudo
contra todo temor, debilidad, desconfianza.
Como Elsa, ama, mas sin saber a quién. Sólo sabe que
ama.

En el canto, palabra y movimiento de los labios
del otro le habla también el canto, palabra y movimiento
que a brotar de sus labios al mismo tiempo iban,
saludando al hermano nacido de su sueño, nutrido por
su sueño.
Mas no, no es eso: es la música quien nutriera a su sueño,
le dio forma.
Su sangre se apresura en sus venas, al tiempo apresu-
rando:
el pasado, tan breve, revive en el presente,
con luz de dioses su presente ilumina al futuro.
Todo, todo ha de ser como su sueño le presagia.

En el vivir del otro el suyo certidumbre encuentra.
Sólo el amor depara al rey razón para estar vivo,
olvido a su impotencia, saciedad al deseo
vago y disperso que tanto tiempo le aquejara.
Se inclina y se contempla en la corriente
melodiosa e, imagen ajenada, su remedio espera
al trastorno profundo que dentro de sí siente.
¿No le basta que exista, fuera de él, lo amado?
Contemplar a lo hermoso, ¿no es respuesta bastante?

Los dioses escucharon, y su deseo satisfacen
(que los dioses castigan concediendo a los hombres
lo que éstos les piden), y el destino del rey,
desearse a sí mismo, le transforma,
como en flor, en cosa hermosa, inerme, inoperante,
hasta acabar su vida gobernado por lacayos,
pero teniendo en ellos, al morir, la venganza de un rey.
Las sombras de sus sueños para él eran la verdad de la
vida.
No fue de nadie, ni a nadie pudo llamar suyo.

Ahora el rey está ahí, en su palco, y solitario escucha,
joven y hermoso, como dios nimbado
por esa gracia pura e intocable del mancebo,
existiendo en el sueño imposible de una vida
que queda sólo en música y que es como música,
fundido con el mito al contemplarlo, forma ya de ese
mito
de pureza rebelde que tierra apenas toca,
del éter huésped desterrado. La melodía le ayuda a co-
nocerse,
a enamorarse de lo que él mismo es. Y para siempre en
la música vive.

Tiempo de vivir, tiempo de dormir

Ya es noche. Vas a la ventana.
El jardín está oscuro abajo.
Ves el lucero de la tarde
latiendo en fulgor solitario.

Y quietamente te detienes.
Dentro de ti algo se queja:
esa hermosura no atendida
te seduce y reclama afuera.

Encanto de estar vivo, el hombre
sólo siente en raros momentos
y aún necesita compartirlos
para aprender la sombra, el sueño.

Respuesta

Lo cretino, en ti,
no excluye lo ruin.

Lo ruin, en tu sino,
no excluye lo cretino.

Así que eres, en fin,
tan cretino como ruin.

Despedida

Muchachos
que nunca fuisteis compañeros de mi vida,
adiós.
Muchachos
que no seréis nunca compañeros de mi vida,
adiós.

El tiempo de una vida nos separa
infranqueable:
a un lado la juventud libre y risueña;
a otro la vejez humillante e inhóspita.

De joven no sabía
ver la hermosura, codiciarla, poseerla;
de viejo la he aprendido
y veo a la hermosura, mas la codicio inútilmente.

Mano de viejo mancha
el cuerpo juvenil si intenta acariciarlo.
Con solitaria dignidad el viejo debe
pasar de largo junto a la tentación tardía.

Frescos y codiciables son los labios besados,
labios nunca besados más codiciables y frescos aparecen.
¿Qué remedio, amigos? ¿Qué remedio?
Bien lo sé: no lo hay.

Qué dulce hubiera sido
en vuestra compañía vivir un tiempo:
bañarse juntos en aguas de una playa caliente,
compartir bebida y alimento en una mesa,
sonreír, conversar, pasearse
mirando cerca, en vuestros ojos, esa luz y esa música.

Seguid, seguid así, tan descuidadamente,
atrayendo al amor, atrayendo al deseo.
No cuidéis de la herida que la hermosura vuestra y
vuestra gracia abren
en este transeúnte inmune en apariencia a ellas.

Adiós, adiós, manojos de gracias y donaires.
Que yo pronto he de irme, confiado,
adonde, anudado el roto hilo, diga y haga
lo que aquí falta, lo que a tiempo decir y hacer aquí no
supe.

Adiós, adiós, compañeros imposibles.
Que ya tan sólo aprendo
a morir, deseando
veros de nuevo, hermosos igualmente
en alguna otra vida.

Luna llena en Semana Santa

Denso, suave, el aire
orea tantas callejas,
plazuelas, cuya alma
es la flor del naranjo.

Resuenan cerca, lejos,
clarines masculinos
aquí, allí la flauta
y oboe femeninos.

Mágica por el cielo
la luna fulge, llena
luna de parasceve.
azahar, luna, música,

Entrelazados, bañan
la ciudad toda. Y breve
tu mente la contiene
en sí, como una mano

Amorosa. ¿Nostalgias?
No. Lo que así recreas
es el tiempo sin tiempo
del niño, los instintos

Aprendiendo la vida
dichosamente, como
la planta nueva aprende
en suelo amigo. Eco

Que, a la doble distancia,
generoso hoy te vuelve,
en leyenda, a tu origen.
Et in Arcadia ego.

Epílogo

(Poemas para un Cuerpo)

Playa de la Roqueta:
sobre la piedra, contra la nube,
entre los aires estás, conmigo
que invisible respiro amor en torno tuyo.
Mas no eres tú, sino tu imagen.

Tu imagen de hace años,
hermosa como siempre, sobre el papel, hablándome,
aunque tan lejos yo, de ti tan lejos hoy
en tiempo y en espacio.
Pero en olvido no, porque al mirarla,
al contemplar tu imagen de aquel tiempo,
dentro de mi la hallo y lo revivo.

Tu gracia y tu sonrisa,
compañeras en días a la distancia, vuelven
poderosas a mí, ahora que estoy,
como otras tantas veces
antes de conocerte, solo.

Un plazo fijo tuvo
nuestro conocimiento y trato, como todo
en la vida, y un día, uno cualquiera,
Sin causa ni pretexto aparente,
nos dejamos de ver. ¿Lo presentiste?
Yo sí, que siempre estuve presintiéndolo.

La tentación me ronda
de pensar, ¿para qué todo aquello:
el tormento de amar, antiguo como el mundo,
que unos pocos instantes rescatar consiguen?
Trabajos del amor perdidos.

No. No reniegues de aquello.
Al amor no perjures.

Todo estuvo pagado, sí, todo bien pagado,
pero valió la pena,
la pena del trabajo
de amor, que a pensar ibas hoy perdido.

Es la hora de la muerte
(si puede el hombre para ella
hacer presagios, cálculos).
Tu imagen a mi lado
acaso me sonreía como hoy me ha sonreído,
iluminando este existir oscuro y apartado
con el amor, única luz del mundo.

Hablando a Manona

Manonita, Manona,
ahora has aprendido
cómo el aire, de pronto,
se lleva los amigos.
Y así
tú estás ahí,
yo estoy aquí.

A veces Dios nos hace
de un cariño regalo,
por un poco de tiempo,
cuando bien nos portamos.
Y al fin
tenemos que vivir
tú ahí, yo aquí.

¿Está bien, te parece,
Manona, Manonita,
que el cariño no sea
para toda la vida?
¿Y así
tú estés ahí
y esté yo aquí?

Esperemos, Manona;
Manonita, paciencia:
tal vez nuestros afectos
Dios los pone a esa prueba.
Y así
tú estás ahí,
yo estoy aquí.

Y luego una mañana,
despertando, hallaremos
sonrientes las caras
de los que estaban lejos.
Y al fin
no estaremos así:
tú ahí, yo aquí.

A sus paisanos

No me queréis, lo sé, y que os molesta
cuanto escribo. ¿Os molesta? Os ofende.
¿Culpa mía tal vez o es de vosotros?
Porque no es la persona y su leyenda
lo que ahí, allegados a mí, atrás os vuelve.
Mozo, bien mozo era, cuando no había brotado
leyenda alguna, caísteis sobre un libro
primerizo lo mismo que su autor: yo, mi primer libro.
Algo os ofende, porque sí, en el hombre y su tarea.

¿Mi leyenda dije? Tristes cuentos
inventados de mí por cuatro amigos
(¿Amigos?), que jamás quisisteis
ni ocasión buscasteis de ver si acomodaban
a la persona misma así traspuesta.
Mas vuestra mala fe los ha aceptado.
Hecha está la leyenda, y vosotros, de mi desconocidos,
respecto al ser que encubre mintiendo doblemente,
sin otro escrúpulo, a vuestra vez la propaláis.

Contra vosotros y esa vuestra ignorancia voluntaria,
vivo aún, sé y puedo, si así quiero, defenderme.
Pero aguardáis al día cuando ya no me encuentre
aquí. Y entonces la ignorancia,
la indiferencia y el olvido, vuestras armas
de siempre, sobre mí caerán, como la piedra,
cubriéndome por fin, lo mismo que cubristeis
a otros que, superiores a mí, esa ignorancia vuestra
precipitó en la nada, como al gran Aldana.

De ahí mi paradoja, por lo demás involuntaria,
pues la imponéis vosotros: en nuestra lengua escribo,
criado estuve en ella y, por eso, es la mía,
a mi pesar quizá, bien fatalmente. Pero con mis expresas
excepciones,
a vuestros escritores de hoy ya no los leo.
De ahí la paradoja: soy, sin tierra y sin gente,
escritor bien extraño; sujeto quedo aún más que otros
al viento del olvido que, cuando sopla, mata.

Si vuestra lengua es la materia
que empleé en mi escribir y, si por eso,
habréis de ser vosotros los testigos
de mi existencia y su trabajo,
en hora mala fuera vuestra lengua
la mía, la que hablo, la que escribo.
Así podréis, con tiempo, como venís haciendo,
a mi persona y mi trabajo echar afuera
de la memoria, en vuestro corazón y vuestra mente.

Grande es mi vanidad, diréis,
creyendo a mi trabajo digno de la atención ajena
y acusándoos de no querer la vuestra darle.
Ahí tendréis razón. Mas el trabajo humano
con amor hecho, merece la atención de los otros,
y poetas de ahí tácitos lo dicen
enviando sus versos a través del tiempo y la distancia
hasta mí, atención demandando.
¿Quise de mí dejar memoria? Perdón por ello pido.

Mas no todos igual trato me dais,
que amigos tengo aún entre vosotros,
doblemente queridos por esa desusada
simpatía y atención entre la indiferencia,
y gracias quiero darles ahora, cuando amargo
me vuelvo y os acuso. Grande el número
no es, mas basta para sentirse acompañado
a la distancia en el camino. A ellos
vaya así mi afecto agradecido.

Acaso encuentre aquí reproche nuevo:
que ya no hablo con aquella ternura
confiada, apacible de otros días.
Es verdad, y os lo debo, tanto como
a la edad, al tiempo, a la experiencia.
A vosotros y a ellos debo el cambio. Si queréis
que ame todavía, devolvedme
al tiempo del amor. ¿Os es posible?
Imposible como aplacar ese fantasma que de mí evocasteis.

Indice

De *Los placeres prohibidos* [1931]

De *Donde habite el olvido* [1932-1933]

De *Invocaciones* [1934-1935]

De *Las nubes* [1937-1940]

De *Como quien espera el alba* [1941-1944]

De *Vivir sin estar viviendo* [1944-1949]

De *Con las horas contadas* [1950-1956]

De *Desolación de la quimera* [1956-1962]

Ultimos títulos publicados

1531 Max Weber:
Escritos políticos

1532 Cicerón:
El orador

1533 Maguelonne Toussaint-Samat:
Historia natural y moral de los alimentos
6. La sal y las especias

1534 Iris M. Zavala:
El bolero. Historia de un amor

1535 Maguelonne Toussaint-Samat:
Historia natural y moral de los alimentos
7. El azúcar, el chocolate, el café y el té

1536 Tommaso Campanella:
La política

1537 E. M. Dostoyevski:
Apuntes del subsuelo

1538 Bernard Pellequer:
Guía del cielo

1539 Michael Eckert y Helmut Schubert:
Cristales, electrones, transistores

1540 Fernando Vallespín (ed.):
Historia de la teoría política, 3

1541 Juan Valera
La ilusiones del doctor Faustino

1542 R. M. Hare:
Platón

1543 Eduardo Battaner:
Planetas

1544 Maguelonne Toussaint-Samat:
Historia natural y moral de los alimentos
8. Las frutas y las verduras

1545 Medardo Fraile:
Cuentos completos

1546 Aileen Serrano y M.ª Carmen Arce:
ABC de las tragedias domésticas

1547 Cicerón:
Discursos cesarianos

1548 Mariano Mataix:
Ludopatía matemática

1549 Martin Gardner:
El ahorcamiento inesperado

1550 Manuel Lucena:
Simón Bolívar

1551 Bertolt Brecht
Narrativa completa, 4
La novela de los tuis

1552, 1553 San Juan de la Cruz:
Obra completa
Edición de Luce López-Baralt y Eulogio Pacho

1554 Ken Richardson:
Para comprender la psicología

1555 Martin Rady:
Carlos V

1556 Carlos García del Cerro y Manuel Arroyo:
101 quesos magistrales

1557 Royston M. Roberts:
Serendipia
Descubrimientos accidentales en la ciencia

1558 David J. Melling:
Introducción a Platón

1559 Maguelonne Toussaint-Samat:
Historia natural y moral de los alimentos
9. Las conservas, los congelados y la dietética

1560 Leon Edel:
Bloomsbury
Una guarida de leones

1561 John Gribbin:
El agujero del cielo

1562 François Rabelais:
Gargantúa

1563 Dionisio de Halicarnaso:
Tres ensayos de crítica literaria

1564 Jennifer J. Ashcroft y J. Barrie Ashcroft:
Cómo adelgazar y mantenerse delgado

1565 Elie Faure:
Historia del arte, 5

1566 Francisco Páez de la Cadena:
El libro del bonsai

1567 Ramiro A. Calle:
El libro de la relajación, la respiración y el estiramiento

1568 Rubén Darío:
Prosas profanas

1569 Bertolt Brecht:
Teatro completo, 5

1570 Emrys Jones:
Metrópolis

1571 Daniel Tapia:
Historia del toreo, 1

572, 1573 Carlos Abellá:
Historia del toreo, 2 y 3

574 Ramón Casilda Béjar:
Sistema financiero español

575 Augusto M. Torres:
El cine norteamericano en 120 películas

576 Fernando Vallespín (ed.):
Historia de la teoría política, 4

577 Camilo José Cela:
La colmena

578 Patricia Highsmith:
Pequeños cuentos misóginos

579 Ignacio H. de la Mota
El libro del plátano

580 Carlos García Gual:
Introducción a la mitología griega

581 George Berkeley:
Tratado sobre los principios del conocimiento humano

582 Mária Alemany:
Obesidad y nutrición

583 M.ª del Carmen Zarzalejos:
El libro de la cocina iberoamericana

584 Immanuel Kant:
Opúsculos de filosofía natural

585, 1586 Antología crítica del cuento hispanoamericano del siglo XX, 1, 2
Selección de José Miguel Oviedo

587 Zygmunt Bauman:
Libertad

588, 1589 Juan García Hortelano:
Cuentos completos, 1, 2

1590 Juan Carlos Sanz:
El libro del color

1591 Michael Argyle:
La psicología de la felicidad

1592 Leonardo Sciascia:
A cada cual lo suyo

1593 Ramón Llul:
Libro de la Orden de Caballería

1594 John Lenihan:
Las migajas de la creación

1595, 1596 Tito Livio:
Historia de Roma, 1, 2

1597 Anthony Arblaster:
Democracia

1598 Enrique Cornelo Agrippa:
Filosofía oculta
Magia Natural

1599 G. W. Leibniz:
Nuevos ensayos sobre el entendimiento humano

1600 Ulla Folsing:
Mujeres Premios Nobel

1601 Nicholas Humphrey:
La mirada interior

1602 Chris Cook:
Diccionario de términos históricos

1603 John A. Hall, G. John Ikenberry:
El estado

1604 Apolodoro:
Biblioteca mitológica

1605 Pilar Llamas:
Decoración con flores secas

1606 Patricia Highsmith:
El temblor de la falsificación